D0455133

2

3604 - B3T. 85

2rabats

FEUX ROUGES

Georges Simenon

FEUX ROUGES

Roman

PRESSES
DE LA CITÉ

© 1953 Georges Simenon Limited (a Chorion company). All rights reserved.
ISBN 2-258-06195-4

A Marie-Georges Simenon

1

Il appelait ça entrer dans le tunnel, une expression à lui, pour son usage personnel, qu'il n'employait avec personne, à plus forte raison pas avec sa femme. Il savait exactement ce que cela voulait dire, en quoi consistait d'être dans le tunnel, mais, chose curieuse, quand il y était, il se refusait à le reconnaître, sauf par intermittence, pendant quelques secondes, et toujours trop tard. Quant à déterminer le moment précis où il y entrait, il avait essayé, souvent, après coup, sans y parvenir.

Aujourd'hui, par exemple, il avait commencé le week-end du Labor Day dans des dispositions d'esprit excellentes. C'était arrivé, d'autres fois. C'était arrivé aussi que le week-end n'en finît pas moins assez mal. Mais il n'y avait aucune raison pour que ce soit inévitable.

A cinq heures, il avait quitté son bureau de Madison Avenue et, trois minutes plus tard, il retrouvait sa femme dans leur petit bar de la 45ᵉ Rue où elle était arrivée avant lui et où elle ne l'avait pas attendu pour commander un Martini. Il y avait peu d'habitués dans la pièce à peine éclairée. A vrai dire, il ne remarqua aucun visage de connaissance car, ce vendredi-là, avec plus de hâte encore que les autres vendredis, les gens se précipitaient vers les trains et les voitures qui les emmenaient à la mer ou à la campagne. Dans une heure, New York serait vide, avec seulement, dans les quartiers tranquilles, des hommes sans veston, des femmes aux jambes nues assis sur leur seuil.

Il ne pleuvait pas encore. Depuis le matin, depuis trois jours, en fait, le ciel était bouché, l'air si humide qu'on pouvait fixer le soleil d'un jaune pâle comme à travers une vitre dépolie. Maintenant les services météorologiques annonçaient des orages locaux et promettaient une nuit plus fraîche.

— Fatigué ?

— Pas trop.

Ils se retrouvaient tous les soirs à la même heure, l'été, quand les enfants étaient au camp, toujours sur les mêmes tabourets, avec Louis qui se contentait de leur adresser un clin d'œil et qui les servait sans attendre leur commande. Ils n'éprouvaient pas le besoin de se parler tout de suite. L'un des deux tendait une cigarette à l'autre. Parfois Nancy poussait vers lui le bol de cacahuètes, d'autres fois c'était lui qui lui offrait les olives et ils regardaient vaguement le petit rectangle blafard de la télévision accroché assez haut dans le coin droit du bar. Des images se mouvaient. Une voix commentait une partie de base-ball, ou bien une femme chantait. Cela n'avait pas d'importance.

— Tu vas pouvoir prendre une douche avant de partir.

C'était sa façon de s'occuper de lui. Elle ne manquait jamais de lui demander s'il était fatigué, en lui lançant la sorte de regard qu'on a pour un enfant qui couve une maladie, ou qui est de santé fragile. Cela le gênait. Il savait qu'il n'était pas beau à cette heure-là, avec sa chemise qui lui collait au corps, sa barbe qui commençait à pousser et paraissait plus sombre sur la peau amollie par la chaleur. Sûrement qu'elle avait déjà remarqué les cernes humides sous ses bras.

C'était d'autant plus vexant qu'elle était aussi fraîche, elle, qu'en quittant la maison le matin, sans un faux pli à son tailleur légèrement empesé, et personne n'aurait soupçonné, à la voir, qu'elle avait passé la journée dans un bureau ; on aurait pu la prendre pour une de ces femmes qui se lèvent à quatre heures de l'après-midi et font leur première apparition au moment de l'apéritif.

Louis questionna :
— Vous allez chercher les enfants ?
Steve acquiesça de la tête.
— New Hampshire ?
— Maine.

Combien étaient-ils de parents, à New York et dans la banlieue, qui, ce soir, s'élanceraient sur la route pour aller chercher leurs enfants dans un camp du

Nord ? Cent mille ? Deux cent mille ? Probablement plus. On devait donner le chiffre dans quelque coin du journal. Et il y avait en outre les gosses qui avaient passé l'été chez une grand-mère ou chez une tante, à la campagne ou au bord de la mer. Et c'était la même chose partout, d'un océan à l'autre, de la frontière canadienne à celle du Mexique.

Un monsieur sans veston, sur l'écran de la télévision, aux lunettes à grosses montures d'écaille qui paraissaient lui donner chaud, annonçait sur un ton de morne conviction :

« Le National Safety Council prévoit pour ce soir de quarante à quarante-cinq millions d'automobiles sur les routes et évalue à quatre cent trente-cinq le nombre de personnes qui, d'ici lundi soir, perdront la vie dans des accidents de la circulation. »

Il concluait, lugubre, avant d'être remplacé par une réclame de bière :

« Evitez d'en être. Soyez prudents. »

Pourquoi quatre cent trente-cinq et non quatre cent trente ou quatre cent quarante ? Ces avis-là allaient être répétés toute la nuit, et encore le lendemain et le surlendemain, entre les programmes réguliers, avec, vers la fin, des allures de concours. Steve se souvenait de la voix d'un speaker, l'année précédente, alors qu'avec les enfants ils s'en revenaient du Maine le dimanche soir :

« Jusqu'ici, le nombre des morts est resté fort au-dessous des prévisions des experts, malgré la collision

d'avions qui a fait trente-deux victimes au-dessus de l'aéroport de Washington. Mais prenez garde : le week-end n'est pas fini ! »

— Moi, disait Louis, qui parlait toujours à mi-voix, en apportant des cacahuètes fraîches, ma femme et le petit sont chez ma belle-mère près de Québec. Ils rentrent demain par le train.

Steve avait-il eu l'intention de commander un second Martini ? D'habitude, Nancy et lui n'en prenaient qu'un, sauf, parfois, quand ils dînaient en ville avant d'aller au théâtre.

Peut-être en avait-il eu envie. Pas nécessairement pour se remonter, ni à cause de la chaleur. Sans raison, en somme. Ou plutôt parce que ce n'était pas un week-end ordinaire. Quand ils reviendraient du Maine, il ne serait plus question d'été ni de vacances, ce serait tout de suite la vie d'hiver qui commencerait, les jours de plus en plus courts, les enfants qui les obligeraient à rentrer tout de suite après le bureau, une existence plus compliquée, sans aucun laisser-aller.

Cela ne valait-il pas un verre ? Il n'avait rien dit, n'avait fait aucun geste, aucun signe à Louis. Nancy n'en avait pas moins deviné et s'était laissée glisser de son tabouret.

— Paie ! Il est temps que nous partions.

Il n'en était pas ulcéré. Peut-être un peu déçu, ou vexé. Ce qui était surtout vexant, c'est que Louis avait fort bien compris ce qui se passait.

Ils avaient deux rues à parcourir pour atteindre le parking où ils laissaient leur voiture pour la journée et, passé la 3ᵉ Avenue, on se serait déjà cru un dimanche.

— Tu veux que je conduise ? avait proposé Nancy.

Il dit non, s'installa au volant, se dirigea vers le Queensboro Bridge où les voitures se suivaient au pas. Deux cents mètres plus loin, déjà, une auto était renversée au bord du trottoir, une femme assise par terre, des gens autour d'elle et un agent qui s'efforçait de décongestionner l'avenue en attendant l'ambulance.

— C'est inutile de partir de trop bonne heure, disait Nancy en cherchant des cigarettes dans son sac à main. Dans une heure ou deux, le plus gros du trafic sera passé.

Quelques gouttes d'eau roulèrent sur le pare-brise alors qu'ils traversaient Brooklyn, mais ce n'était pas encore la pluie annoncée.

Il était de bonne humeur, à ce moment-là. Et encore quand ils rentrèrent chez eux, à Scottville, un lotissement neuf récent dans le centre de Long Island.

— Cela t'est égal de manger froid ?

— Je préfère ça.

La maison aussi allait changer avec le retour des enfants. L'été, il avait toujours l'impression d'un vide, comme s'ils n'avaient aucune raison d'être là tous les deux, de se tenir dans une pièce plutôt que dans une autre, et ils se demandaient que faire de leurs soirées.

— Pendant que tu prépares les sandwiches, je vais chercher un carton de cigarettes.

Feux rouges

— Il y en a dans l'armoire.

— Cela gagnera du temps que je fasse le plein d'essence et d'huile.

Elle n'avait pas protesté, ce qui l'avait surpris. Il s'était effectivement arrêté au garage. Pendant qu'on vérifiait ses pneus, il était entré en coup de vent dans le restaurant italien pour boire un verre de whisky au bar.

— Scotch ?

— Rye.

Or, il n'aimait pas le rye. Il avait choisi le plus fort des deux parce qu'il n'aurait sans doute plus l'occasion de boire de la nuit et qu'ils en avaient pour des heures à rouler sur la grand-route.

Pouvait-on dire qu'il était entré dans le tunnel ? Il avait pris deux verres en tout, pas plus que quand ils allaient au théâtre et que Nancy buvait la même chose que lui. Quand il rentra, elle ne lui jeta pas moins un coup d'œil furtif.

— Tu as acheté des cigarettes ?

— Tu m'as dit qu'il y en a dans l'armoire. J'ai fait le plein d'essence et me suis occupé des pneus.

— Nous en prendrons en passant.

Il n'y avait pas de cigarettes dans la maison. Ou bien elle s'était trompée, ou elle l'avait fait exprès de lui affirmer le contraire.

Elle l'arrêta alors qu'il se dirigeait vers la salle de bains.

— Tu prendras ta douche après avoir mangé, pendant que je rangerai la vaisselle.

Elle ne commandait pas, sans doute, mais elle arrangeait leur vie à sa façon, comme si c'était tout naturel. Il avait tort. Il avait conscience d'avoir tort. Chaque fois qu'il buvait un verre ou deux, il la voyait avec d'autres yeux, s'impatientait de ce qui, d'habitude, lui paraissait normal.

— Tu feras bien d'emporter ta veste de tweed et ton imperméable.

La brise se levait, dehors, agitait le feuillage des arbres encore frêles, plantés lorsqu'on avait bâti les maisons et tracé les avenues, cinq ans auparavant. Quelques-uns n'avaient jamais pris et c'est en vain qu'on les avait remplacés à deux ou trois reprises.

En face de chez eux, un de leurs voisins accrochait à sa voiture une remorque sur laquelle un canot était fixé, cependant que sa femme, au bord du trottoir, rouge d'un récent coup de soleil, ses grosses cuisses serrées dans des shorts bleu pâle, tenait les cannes à pêche.

— A quoi penses-tu ?

— A rien.

— Je suis curieuse de voir si Dan a encore grandi. Le mois dernier, j'ai trouvé qu'il s'allongeait et ses jambes m'ont paru plus maigres.

— C'est l'âge.

Il ne s'était rien passé d'intéressant. Il avait pris sa douche, s'était habillé, puis sa femme lui avait rappelé d'aller fermer le compteur électrique dans le garage, tandis que, de son côté, elle vérifiait les fenêtres.

— Je prends les bagages ?

— Assure-toi qu'ils sont fermés.

Malgré la brise et le ciel couvert, sa chemise propre était déjà molle d'humidité quand il s'était installé au volant.

— On prend la même route que la dernière fois ?

— Nous avions juré de ne plus la prendre.

— C'est pourtant la plus pratique.

Moins d'un quart d'heure plus tard, ils s'agglutinaient à des milliers d'autres voitures qui s'avançaient dans la même direction, avec des arrêts inexplicables, des moments où, au contraire, le mouvement devenait presque frénétique.

C'est au début du Merrit Parkway qu'ils avaient traversé leur premier orage, alors que la nuit n'était pas tout à fait tombée et que les autos n'avaient que leurs feux de position. Il y en avait trois rangs entre les lignes blanches en direction du nord, beaucoup moins, naturellement, en sens inverse, et on entendait la pluie crépiter sur l'acier des toits, le bruit monotone des roues qui lançaient des gerbes d'eau, le tic-tac agaçant des essuie-glaces.

— Tu es sûr que tu n'es pas fatigué ?

— Certain.

Tantôt une file dépassait les autres et tantôt on avait l'impression de reculer.

— Tu aurais dû prendre la troisième voie.

— J'essaie.

— Pas maintenant. Il y a un fou derrière nous.

A chaque éclair, on découvrait les visages dans l'ombre des autres voitures et tous avaient la même expression tendue.

— Cigarette ?

— Avec plaisir.

Elle les lui tendait tout allumées quand il était au volant.

— Radio ?

— Cela m'est égal.

Elle dut l'arrêter aussitôt, à cause de l'orage qui faisait grésiller l'appareil.

Ce n'était pas non plus la peine de parler. A cause du vacarme continu, on était obligé d'élever la voix et cela devenait vite fatigant. Tout en tenant le regard fixé devant lui, il entrevoyait dans la pénombre le profil pâle de Nancy et il lui arriva à deux ou trois reprises de demander :

— A quoi penses-tu ?

— A rien.

Une fois, elle ajouta :

— Et toi ?

Il dit :

— Aux enfants.

Ce n'était pas vrai. En réalité, il ne pensait à rien de précis non plus. Plus exactement, il regrettait d'être parvenu à se glisser dans la troisième file, car il lui serait difficile d'en changer sans que sa femme lui demande pourquoi. Or, tout à l'heure, quand ils quitteraient le parkway, il y aurait des bars au bord de la route.

Leur était-il arrivé d'aller conduire ou rechercher les enfants sans qu'il s'arrête à plusieurs reprises pour boire un verre ? Une seule fois, trois ans plus tôt, quand, la veille, il avait eu la terrible scène avec Nancy et que, meurtris tous les deux, ils avaient fait du week-end comme un nouveau voyage de noces.

— On dirait que nous sommes sortis de l'orage.

Elle arrêta les essuie-glaces, dut les remettre en mouvement pendant quelques minutes, car de grosses gouttes d'eau, comme isolées, s'écrasaient encore sur la vitre.

— Tu n'as pas froid ?

— Non.

L'air était devenu frais. Un coude hors de la voiture, Steve sentait gonfler la manche de sa chemise.

— Et toi ?

— Pas encore. Plus tard je passerai mon manteau.

Pourquoi éprouvaient-ils de loin en loin le besoin d'échanger des mots comme ceux-là ? Etait-ce pour se rassurer ? Mais alors, qu'est-ce qui leur faisait peur ?

— Maintenant que l'orage est passé, je vais essayer la radio.

Ils eurent de la musique. Nancy lui tendit une nouvelle cigarette et se renversa sur la banquette, fumant, elle aussi, envoyant sa fumée au-dessus de sa tête.

« *Bulletin spécial de l'Automobile Club du Connecticut...* »

Ils y étaient, dans le Connecticut, à une cinquantaine de miles de New London.

« *... Le week-end du Labor Day a fait sa première victime dans le Connecticut ce soir à 7 h 45, quand, au croisement de la route 1 et de la 118, à Darrien, une voiture conduite par un nommé Mac Killian, de New York, est entrée en collision avec un camion piloté par Robert Ostling. Mac Killian et son passager, John Roe, ont été tués sur le coup. Le chauffeur du camion s'en est tiré indemne. Dix minutes plus tard, à trente miles de là, une auto pilotée par...* »

Il tourna le bouton. Sa femme ouvrit la bouche pour dire quelque chose et se tut. Avait-elle remarqué que, peut-être à son insu, il avait ralenti ?

Elle finit par murmurer :

— Passé Providence, il y aura moins de trafic.

— Jusqu'à ce qu'on retrouve les autos de Boston.

Il n'était pas impressionné, n'avait pas peur. Ce qui tendait ses nerfs, c'était le bruit obsédant des roues des deux côtés, les phares qui, de cent mètres en cent mètres, se précipitaient à sa rencontre, c'était aussi la sensation d'être prisonnier dans le flot, sans possibilité de s'échapper à gauche ou à droite, ou même de ralentir, car son rétroviseur lui montrait un triple chapelet de lumières qui le suivaient pare-chocs à pare-chocs.

Les enseignes au néon avaient commencé à surgir sur la droite où, avec les pompes à essence, elles constituaient les seuls signes de vie. Sans elles, on aurait pu croire que la grand-route était suspendue dans l'infini et qu'au-delà n'existaient que la nuit et le silence. Les villes, les villages étaient tapis plus loin, invisibles, et ce n'était que rarement qu'un vague halo rougeâtre dans le ciel laissait deviner leur existence.

La seule réalité proche, c'étaient les restaurants, les bars qui jaillissaient du noir tous les cinq ou dix miles, avec, en lettres rouges, vertes ou bleues, le nom d'une bière ou d'un whisky.

Il ne se trouvait plus qu'en seconde position. Il y était arrivé insensiblement, sans que sa femme le remarque, et soudain, profitant d'un trou, il s'engagea dans la première file.

— Qu'est-ce que tu fais ?

Il faillit rater le bar dont l'enseigne au néon annonçait *Little Cottage*, freina à temps, si brusquement que la voiture qui le suivait fit une embardée et qu'on entendit un flot d'injures. Le conducteur lui tendit même le poing par la portière.

— Il faut que j'aille à la toilette, dit-il d'une voix aussi naturelle que possible en s'arrêtant sur le terre-plein. Tu n'as pas soif ?

— Non.

C'était arrivé souvent. Elle l'attendait dans l'auto. Dans une autre voiture parquée en face du bar, un couple était si étroitement enlacé qu'il se demanda un instant s'il s'agissait d'une personne ou de deux.

Tout de suite après avoir poussé la porte, il se sentit un autre homme, s'arrêta pour regarder la salle plongée dans un clair-obscur orangé. Ce bar-là ressemblait à tous les autres du bord de la route et n'était pas tellement différent de celui de Louis, dans la 45e Rue, avec la même télévision dans un coin, les mêmes odeurs, les mêmes reflets.

— Martini sec avec un zeste de citron, dit-il, quand le barman se tourna vers lui.

— Simple ?

— Double.

Si on ne lui avait pas posé la question, il se serait contenté d'un simple, mais il valait mieux le prendre double, car sa femme ne le laisserait probablement plus s'arrêter.

Il regarda, hésitant, la porte des toilettes, s'y rendit par acquit de conscience, par une sorte d'honnêteté, passa devant un homme très brun qui téléphonait, la main en cornet autour de la bouche. Sa voix était rauque.

— Oui. Répète-lui simplement ce que je viens de te dire. Rien d'autre. Il comprendra. Puisque je te dis qu'il comprendra, cesse de me casser les pieds.

Steve aurait aimé s'attarder pour écouter, mais l'homme, tout en parlant, le suivit d'un regard pas tendre. Qu'est-ce que son message signifiait au juste ? Qui était à l'autre bout du fil ?

Il revint au bar et but son verre en deux traits, cherchant déjà la monnaie dans sa poche. Nancy allait-elle se taire ? N'était-ce pas suffisant qu'à cause d'elle il ne puisse pas s'attarder quelques minutes à regarder les gens et à se détendre les nerfs ?

Peut-être venait-il d'entrer dans le tunnel ? Peut-être y était-il depuis le départ de Long Island ? Il n'en avait pas conscience, en tout cas, se considérait comme l'homme le plus normal de la terre, et ce n'était pas le peu d'alcool ingurgité qui pouvait lui faire de l'effet.

Pourquoi se sentait-il gêné, coupable, en se dirigeant vers la voiture et en ouvrant la portière sans regarder sa femme ? Elle ne lui posait pas de question, ne disait rien.

— Cela fait du bien ! murmura-t-il comme pour lui-même en mettant le moteur en marche.

Il lui sembla qu'il y avait moins de voitures, que le rythme s'était ralenti, à tel point qu'il dépassa trois ou quatre autos qui roulaient vraiment trop lentement. Une ambulance qui venait en sens inverse ne l'impressionna pas, préoccupé qu'il était par d'étranges lumières, puis par des barrières blanches surgissant devant lui.

— Détour, annonça la voix tranquille, un peu trop mate, de Nancy.

— J'ai vu.

— A gauche.

Cela le fit rougir, car il avait failli prendre à droite.

Il grommela :

— Nous n'avons pas fait une seule fois cette route sans qu'il y ait un détour quelque part. Comme s'ils ne pourraient pas réparer les chemins en hiver !

— Sous la neige ? questionna-t-elle, toujours de la même voix.

— Alors, en automne, en tout cas, à une époque où il n'y ait pas quarante millions d'automobilistes dehors.

— Tu as dépassé le croisement.

— Quel croisement ?

— Celui qui était marqué d'une flèche indiquant la direction du highway.

— Et les autres, derrière nous ? ironisa-t-il.

Car des voitures les suivaient, moins nombreuses que tout à l'heure, il est vrai.

— Tout le monde ne se rend pas dans le Maine.

— Ne t'inquiète pas. Je t'y conduirai, dans le Maine.

L'instant d'après, il triomphait, car ils débouchaient sur une route importante.

— Qu'est-ce que c'est ça ? Que crois-tu qu'elle signifiait, ta flèche ?

— Nous ne sommes pas sur la numéro 1.

— C'est ce que nous verrons.

Ce qui lui mettait les nerfs en pelote, c'était l'assurance de sa femme, la tranquillité avec laquelle elle lui répondait.

Il insista :

— Je suppose que tu ne peux pas te tromper, n'est-ce pas ?

Elle se tut et cela l'irrita davantage.

— Réponds ! Dis ce que tu penses !

— Tu te souviens de la fois que nous avons fait un détour de soixante miles ?

— En évitant le gros du trafic !

— Sans le vouloir !

— Ecoute, Nancy, si tu me cherches querelle, avoue-le tout de suite.

— Je ne te cherche pas querelle. J'essaie de découvrir où nous sommes.

— Comme c'est moi qui conduis, fais-moi le plaisir de ne pas t'en inquiéter.

Elle garda le silence. Il ne reconnaissait pas la route, lui non plus, moins large, moins bonne, sans une pompe à essence depuis qu'ils y étaient engagés, et un nouvel orage bourdonnait dans le ciel.

Posément, Nancy prit la carte dans le compartiment à gants et alluma la petite lampe sous le tableau de bord.

— Nous devons être, entre la 1 et la 82, sur une route dont je ne vois pas le numéro et qui se dirige vers Norwich.

Elle essaya, trop tard, de distinguer le nom d'un village qui avait surgi de la nuit et dont ils avaient déjà dépassé les quelques lumières et, dès lors, ils se trouvèrent dans les bois.

— Tu ne veux vraiment pas faire demi-tour ?

— Non.

Gardant la carte sur les genoux, elle alluma une cigarette, sans lui en offrir.

— Furieuse ? questionna-t-il.

— Moi ?

— Mais oui, toi. Avoue que tu es furieuse. Parce que j'ai eu le malheur de nous écarter de la grand-route et de faire un détour de quelques miles... Je crois me souvenir que, tout à l'heure, c'est toi qui as remarqué que nous avions tout le temps...

— Attention !

— A quoi ?

— Tu as failli monter sur le talus.

— Je ne sais plus conduire ?

— Je n'ai pas dit ça.

Alors, cela sortit tout à trac, sans raison précise.

— Tu n'as peut-être pas dit ça, mais moi, mon petit, je vais te dire quelque chose, et tu feras bien de t'en souvenir une fois pour toutes.

Le plus curieux, c'est qu'il ne savait pas lui-même ce qu'il allait lui sortir. Il cherchait quelque chose de fort, de définitif, afin de donner à sa femme une bonne dose d'humilité dont elle avait tant besoin.

— Vois-tu, Nancy, tu es peut-être la seule à l'ignorer, mais tu es une emmerdeuse.

— Regarde la route, veux-tu ?

— Mais oui, je vais regarder la route, je vais conduire gentiment, prudemment, de façon à ne pas sortir des rails. Tu comprends de quels rails je veux parler ?

Cela lui paraissait très subtil, d'une vérité aveuglante. C'était presque une découverte qu'il venait de faire. Ce qu'il y avait de mauvais chez Nancy, en somme, c'est qu'elle suivait les rails, sans jamais se permettre de fantaisie.

— Tu ne comprends pas ?

— Est-ce bien nécessaire ?

— Quoi ? Que tu saches ce que je pense ? Mon Dieu, cela pourrait peut-être t'aider à faire un effort pour comprendre les autres et pour leur rendre la vie plus agréable. A moi en particulier. Seulement, je doute que cela t'intéresse.

— Tu n'accepterais pas que je conduise ?

— Certainement pas. Suppose un instant qu'au lieu de penser à toi et au lieu d'être persuadée que tu as invariablement raison, tu te regardes une bonne fois dans la glace en te demandant...

Il s'efforçait laborieusement d'exprimer ce qu'il ressentait, ce qu'il était persuadé qu'il avait ressenti chaque jour de sa vie depuis onze ans qu'ils étaient mariés.

Ce n'était pas la première fois que cela lui arrivait mais, aujourd'hui, il était convaincu qu'il avait fait une découverte qui allait lui permettre de tout expliquer. Il faudrait bien qu'elle comprenne un jour, non ? Et, le jour où elle comprendrait, qui sait si elle n'essayerait pas de le traiter enfin en homme ?

— Qu'est-ce que tu connais de plus bête que la vie d'un train qui suit indéfiniment la même route, les mêmes rails ? Eh bien ! tout à l'heure, sur le parkway, j'avais l'impression d'être un train. D'autres voitures s'arrêtaient ici et là, des hommes en descendaient, qui n'avaient de permission à demander à personne pour aller boire un verre de bière !

— Tu as bu de la bière ?

Il hésita, préféra être franc.

— Non.

— Martini ?

— Oui.

— Double ?

Cela le faisait enrager d'être obligé de répondre.

— Oui.

— Et avant ? avait-elle le vice d'insister.

— Avant quoi ?

— Avant de partir.

— Je ne comprends pas.

— Qu'as-tu bu en allant faire le plein d'essence ?

Cette fois, il mentit.

— Rien.

— Ah !

— Tu ne me crois pas ?

— Si c'est exact, le double Martini t'a fait plus d'effet que d'habitude.

— Tu penses que je suis ivre ?

— En tout cas, tu parles comme quand tu as bu.

— Je dis des bêtises ?

— Je ne sais pas si ce sont des bêtises, mais tu me détestes.

— Pourquoi ne veux-tu pas comprendre ?

— Comprendre quoi ?

— Que je ne te déteste pas, que je t'aime, au contraire, que je serais tout à fait heureux avec toi si tu consentais à me traiter en homme.

— En te laissant boire à tous les bars du bord de la route ?

— Tu vois !

— Qu'est-ce que je vois ?

— Tu cherches les phrases les plus humiliantes. Tu le fais exprès de voir les choses par le petit bout de la lunette. Est-ce que je suis un ivrogne ?

— Sûrement pas. Je n'aurais jamais épousé un ivrogne.

— Je bois souvent ?

— C'est rare.

— Pas même une fois par mois. Peut-être une fois tous les trois mois.

— Qu'est-ce qu'il t'arrive alors ?

— Il ne m'arriverait rien si tu ne me regardais pas comme le dernier des derniers. Dès que j'ai envie, pour un soir, de sortir si peu que ce soit de la vie ordinaire...

— Elle te pèse ?

— Je n'ai pas dit ça... Prends le cas de Dick... Il n'y a pas de soir où il se couche sans être au moins à moitié ivre... Tu ne l'en considères pas moins comme un garçon intéressant et, même quand il a bu, tu discutes avec lui le plus sérieusement du monde...

— D'abord, il n'est pas mon mari.

— Ensuite ?

— Il y a un camion devant nous.

— Je l'ai vu.

— Tais-toi un instant. Nous approchons d'un carrefour et j'aimerais lire ce qui est écrit sur le poteau indicateur.

— Cela t'ennuie qu'on parle de Dick ?

— Non.

— Tu regrettes de ne pas l'avoir épousé plutôt que moi ?

— Non.

Ils étaient à nouveau sur le highway, avec deux rangs de voitures qui roulaient beaucoup plus vite qu'au départ de New York et se dépassaient furieusement. Peut-être dans l'espoir de le faire taire, Nancy tourna le bouton de la radio qui donnait les nouvelles d'onze heures du soir.

« ... *La police croit savoir que Sid Halligan, qui s'est évadé la nuit dernière du pénitencier de Sing-Sing et qui est parvenu jusqu'ici à échapper aux recherches...* »

Nancy tourna le bouton.

— Pourquoi coupes-tu ?

— Je ne savais pas que cela t'intéressait.

Cela ne l'intéressait pas. Il n'avait jamais entendu parler de Sid Halligan, ignorait même qu'un prisonnier se fût échappé la veille de Sing-Sing. Il avait seulement pensé, en écoutant la radio, à l'homme qui téléphonait dans le bar, la main en cornet, et dont le regard avait une fixité cruelle. C'était sans importance, sauf le fait qu'elle arrête la radio sans lui demander son avis, car ce sont ces petits riens-là qui...

30

Où en étaient-ils quand elle avait interrompu leur dispute ? A Dick Lowell qui avait épousé une amie de Nancy et avec qui il leur arrivait de passer la soirée.

Foutaise ! A quoi bon discuter ? Est-ce que Dick se préoccupait de l'opinion de sa femme ? C'était son tort, à lui, d'avoir peur de ce qu'elle pouvait penser et d'être toujours à quêter son approbation.

— Qu'est-ce que tu fais ?

— Tu vois. Je m'arrête.

— Ecoute...

Ce bar-ci était plutôt d'aspect miteux, avec seulement de vieilles autos à moitié démantibulées en stationnement, et il avait d'autant plus envie d'y entrer.

— Si tu descends, prononçait Nancy en détachant les syllabes, je te préviens que je continue seule.

Il en reçut un choc. Un instant, il la regarda, incrédule, et elle soutint son regard. Elle était aussi nette qu'à leur départ de New York, froide comme un concombre, pensa-t-il vulgairement.

Peut-être ne se serait-il rien passé et aurait-il baissé pavillon si elle n'avait ajouté :

— Tu pourras toujours arriver au camp par l'autocar.

Il sentit un drôle de sourire tordre sa lèvre et, tranquillement, lui aussi, il tendit la main vers la clef de contact qu'il retira et glissa dans sa poche.

Rien de pareil ne leur était jamais arrivé. Il ne pouvait plus revenir en arrière. Il était persuadé qu'elle avait besoin d'une leçon.

Feux rouges

Il sortit de l'auto dont il referma la portière en évitant de regarder sa femme et s'efforça de marcher d'un pas ferme vers la porte du bar. Quand il se retourna, sur le seuil, elle n'avait pas bougé et il voyait son profil laiteux à travers la vitre.

Il entra. Des visages se tournèrent vers lui, que la fumée déformait comme des miroirs de foire et, lorsqu'il posa la main sur le comptoir, il sentit celui-ci gluant d'alcool.

2

Pendant le temps qu'il avait mis à franchir l'espace entre la porte et le bar, les conversations s'étaient tues, la rumeur qui emplissait la pièce un instant plus tôt s'était éteinte avec la soudaineté d'un orchestre, chacun était resté figé à sa place, à le suivre des yeux, sans hostilité, sans curiosité, semblait-il, sans qu'on pût lire une expression quelconque sur les visages.

Dès qu'il avait posé la main sur le comptoir et que le barman avait tendu un bras velu pour l'essuyer d'un torchon sale, la vie avait repris et nul ne paraissait plus s'occuper de lui.

Il en avait été impressionné. Ce bar-ci était si différent des bars habituels du bord de la route. Il devait exister un village à proximité, ou une petite ville, probablement une usine, car on parlait avec des accents différents et deux nègres étaient accoudés près de lui.

— Qu'est-ce que ce sera, étranger ? questionnait l'homme derrière le comptoir.

Ce n'était pas par plaisanterie qu'il l'appelait ainsi. Sa voix était cordiale.

— Rye ! murmura Steve.

Non pas, cette fois, parce que c'était l'alcool le plus fort, mais parce qu'ici il se serait fait remarquer en commandant du scotch. Il ne voulait pas laisser Nancy seule trop longtemps. Il ne devait pas non plus retourner trop vite vers la voiture, car il perdrait le bénéfice de son attitude.

Cela le déroutait de s'être montré aussi catégorique. Pour peu il en aurait eu honte, encore que persuadé dans le fond de lui-même qu'il était dans son droit et que sa femme méritait une leçon.

A cause d'elle, c'est à peine s'il connaissait des endroits comme celui-ci et il en respirait l'odeur forte avec avidité, regardait les murs peints en vert sombre, ornés de vieux chromos, la cuisine en désordre qu'on apercevait par une porte ouverte, et où une femme à cheveux gris qui lui tombaient sur le visage trinquait avec deux autres femmes et un homme.

Au-dessus du bar pendait un énorme écran de télévision d'un vieux modèle ; les images tremblées, hachurées, rappelaient les très anciens films et personne n'y prêtait attention, presque tout le monde parlait fort, un des nègres, près de lui, le heurtait sans cesse en reculant pour gesticuler et chaque fois s'excusait avec un grand rire. A la table du coin, deux amoureux d'un certain âge se tenaient par la taille, joue à joue, aussi immobiles que sur une photographie, muets, le regard perdu dans le vide.

Nancy ne comprendrait jamais ça. Lui-même aurait de la peine à lui expliquer ce qu'il y avait à comprendre. Elle se figurait qu'il s'était arrêté pour boire et ce n'était pas exact, c'était justement son genre de vérité à elle, qui lui donnait toujours l'air d'avoir raison.

Il ne lui en voulait pas. Il se demanda si elle était en train de pleurer, seule dans la voiture, sortit un billet d'un dollar de sa poche et le posa sur le comptoir. Il était temps de partir. Il était resté environ cinq minutes. Sur l'écran, on projetait la photographie immobile d'une gamine d'environ quatre ans recroquevillée dans un placard, à côté de balais et de seaux ; il ne prêta pas attention au commentaire et l'image fut remplacée par celle de la devanture d'un magasin dont la vitre était brisée.

Il ramassait sa monnaie, était sur le point de se retourner quand il sentit un doigt se poser sur son épaule, entendit une voix qui articulait lentement :

— Un autre pour mon compte, vieux !

C'était son voisin de droite, auquel il n'avait pas prêté attention. Il était seul, accoudé au comptoir, et, quand Steve le regarda, il le regarda en retour avec une fermeté gênante. Il devait avoir beaucoup bu. Sa langue était pâteuse, ses gestes prudents, comme s'il savait son équilibre instable.

Steve fut tenté de s'en aller en expliquant que sa femme l'attendait. L'homme, devinant sa pensée, se tournait vers le patron et lui désignait leurs deux verres vides, le patron adressait à Steve un signe qui voulait dire :

— Vous pouvez accepter.

Peut-être même était-ce :

— Vous feriez mieux d'accepter.

Ce n'était pas un ivrogne bruyant. Etait-ce seulement un ivrogne ? Sa chemise blanche était aussi propre que celle de Steve, ses cheveux blonds coupés de la veille, son teint hâlé faisait ressortir le bleu clair des prunelles.

Les yeux fixés sur son compagnon, il tendit son verre et Steve tendit le sien, qu'il but d'un trait.

— Merci, ma femme...

Il n'osa pas continuer, à cause du sourire qui glissait sur le visage de son interlocuteur. On aurait pu croire que l'homme qui le regardait toujours en face et ne disait rien savait tout, le connaissait comme un frère, lisait ses pensées, dans ses yeux.

Il était ivre, soit, mais, dans son ivresse, il y avait la sérénité amère et souriante d'un être qui aurait atteint Dieu sait quelle sagesse supérieure.

Steve avait hâte de retrouver Nancy. En même temps, il craignait de décevoir cet homme qu'il ne connaissait pas et qui devait avoir à peu près son âge.

Il dit tourné vers le bar :

— La même chose !

Il aurait voulu parler, mais il ne trouvait aucune phrase convenable. Quant au voisin, le silence ne le gênait pas et il continuait à le fixer avec satisfaction, comme s'ils étaient des amis de toujours qui n'avaient plus besoin de rien dire.

C'est quand l'autre tenta d'allumer sa cigarette d'une main qui tremblait qu'on put mesurer son degré d'intoxication et il s'en aperçut, son regard, le pli de sa lèvre signifiaient :

— J'ai bu, bien sûr. Je suis soûl. Et après ?

Ce regard-là exprimait tant de choses que Steve était aussi mal à l'aise que si on l'avait déshabillé devant tout le monde.

— Je sais. Ta femme t'attend dans l'auto. Elle va te faire une scène. Et après ?

Peut-être avait-il deviné aussi qu'il avait des enfants dans un camp du Maine. Et une maison de quinze mile dollars, payable en douze ans dans un lotissement de Long Island ?

Il devait exister des affinités entre eux, des points communs que Steve aurait aimé découvrir. Mais l'idée que sa femme l'attendait maintenant depuis plus de dix minutes, peut-être un quart d'heure, lui donnait une sorte de panique.

Il paya sa tournée, tendit gauchement la main, que l'autre serra en plongeant son regard dans le sien avec tant d'insistance qu'il semblait vouloir lui transmettre un mystérieux message.

Le même silence qu'à son arrivée l'accompagna quand il gagna la sortie et il n'osa pas se retourner, ouvrit la porte, constata qu'il pleuvait à nouveau. Il remarqua que plusieurs des autos en stationnement étaient des camionnettes, se faufila jusqu'à sa voiture, s'arrêta net en découvrant que sa femme ne s'y trouvait pas.

D'abord, pensant qu'elle faisait les cent pas, il se mit à regarder alentour. Ce n'était plus une pluie d'orage qui tombait, mais une pluie fine et caressante, d'une réconfortante fraîcheur.

— Nancy ! appela-t-il à mi-voix.

Aussi loin qu'il voyait des deux côtés de la route, il n'y avait aucun piéton. Il faillit rentrer dans le bar pour expliquer ce qui lui arrivait et peut-être téléphoner à la police quand, en se penchant par la portière, il aperçut un bout de papier sur le siège. Nancy l'avait arraché de son carnet et avait écrit :

« Je continue par le bus. Bon voyage ! »

Pour la seconde fois, il fut tenté de retourner au bar, cette fois afin d'y boire tout son soûl en compagnie de l'inconnu. Ce qui le fit changer d'idée, ce fut un groupe de lumières, à environ cinq cents mètres. Il y avait là un carrefour où, sans doute, les autocars s'arrêtaient, et sa femme avait dû marcher dans cette direction. Peut-être avait-il le temps de la rattraper ?

Il mit le moteur en marche et, tout en roulant, examina les côtés du chemin qui, autant que la nuit permettait d'en juger, était bordé par des champs ou par des terrains vagues.

Il ne vit personne, atteignit le carrefour, s'arrêta devant une cafétéria dont on apercevait du dehors les murs d'un blanc éblouissant, le comptoir de métal, deux ou trois clients qui mangeaient.

Il entra en coup de vent, questionna :

— Les cars s'arrêtent ici ?

La patronne, brune, paisible, occupée à préparer des hot dogs, répondit :

— Si c'est pour Providence, vous l'avez raté. Il est passé voilà cinq minutes.

— Vous n'avez pas vu une femme assez jeune, en tailleur clair ? Ou plutôt elle devait porter un manteau de gabardine...

Il se souvenait soudain qu'il n'avait pas revu le manteau dans l'auto.

— Elle n'est pas entrée ici.

Il ne réfléchit pas, sortit, toujours excité, se rendant compte qu'il avait l'air d'un fou. Une rue s'amorçait à droite, la rue principale d'un village, avec la vitrine éclairée d'un magasin d'ameublement où un lit était recouvert de satin bleu. Il ne prit pas la peine de demander où il était, ni de consulter la carte, sauta dans sa voiture, démarra bruyamment et s'élança droit devant lui sur la route mouillée.

Les bus, en général, ne dépassent pas cinquante miles à l'heure et l'idée lui était venue de rattraper celui-là, de le suivre jusqu'au prochain arrêt où il demanderait à Nancy de reprendre sa place dans l'auto, quitte à lui donner le volant si elle le désirait.

Il avait eu tort. Elle avait eu tort aussi, mais elle ne l'admettrait pas et, comme d'habitude, c'est lui qui finirait par demander pardon. Il mit les essuie-glaces en mouvement, appuya sur l'accélérateur et, comme les deux vitres étaient baissées, le vent soulevait ses cheveux, glissait, presque glacé, sur sa nuque.

Peut-être, pendant ces minutes-là, lui arriva-t-il de parler tout seul, le regard fixé devant lui en quête des feux arrière de l'autocar. Il dépassa dix, quinze voitures, dont deux au moins firent un brusque écart à son passage. De voir le compteur marquer soixante-dix lui donnait une certaine fièvre et il souhaita presque qu'un policier à motocyclette le prît en chasse, se raconta une histoire à ce sujet, où il était question de sa femme qu'il fallait rejoindre coûte que coûte et des enfants qui attendaient dans le Maine. Est-ce que, dans de telles conditions, on n'a pas le droit d'enfreindre les règlements ?

Il franchit un autre carrefour lumineux entouré de pompes à essence où deux routes se présentaient en fourche. A première vue, elles étaient de même importance l'une que l'autre. Il ne ralentit pas pour choisir et, après une quinzaine de miles seulement, se rendit compte qu'il s'était égaré une fois de plus.

Tout à l'heure, il l'aurait juré, il était dans le Rhode Island. Comment, à quel moment avait-il fait demi-tour ? Il n'y comprenait rien, mais c'était un fait qu'il était revenu en arrière et que les poteaux indicateurs annonçaient la ville de Putman, en Connecticut.

Ce n'était plus la peine de lutter de vitesse avec le bus. Désormais, Steve avait tout le temps. Tant pis pour Nancy si elle était furieuse. Tant pis pour lui aussi. Tant pis pour tous les deux !

Il fut tenté de chercher son bar de tout à l'heure, mais c'était à peu près impossible. Il en trouverait d'autres plus loin, autant qu'il en voudrait, où, maintenant qu'il était en quelque sorte célibataire, il pourrait s'arrêter sans avoir à fournir d'explications.

Ce qui était dommage, c'est de n'avoir pu parler au type qui lui avait posé le doigt sur l'épaule et lui avait offert un rye. Il restait persuadé qu'ils se seraient compris tous les deux. Ils n'avaient pas seulement le même âge, mais ils étaient bâtis pareillement, avec le même teint clair, les mêmes cheveux blonds, et jusqu'à leurs longs doigts osseux, aux bouts carrés, se ressemblaient.

Il aurait aimé savoir si l'homme avait été élevé comme lui dans une ville ou si c'était un enfant de la campagne.

L'autre avait plus d'expérience que lui, il l'admettait. Sans doute n'était-il pas marié ou, s'il l'était, ne s'inquiétait-il pas de sa femme. Qui sait ? Steve n'aurait pas été surpris d'apprendre qu'il avait des enfants aussi, mais qu'il les avait plantés là avec leur mère.

Il devait posséder une expérience de ce genre. En tout cas, il ne se préoccupait pas d'arriver à neuf heures exactes au bureau, et, le soir, de rentrer à temps pour que la baby-sitter puisse s'en retourner chez elle.

Car, quand Bonnie et Dan n'étaient pas au camp, c'est-à-dire la plus grande partie de l'année, ce n'était pas Nancy qui retournait la première à la maison pour s'occuper d'eux, c'était lui. Parce que, dans son bureau, elle occupait un poste de confiance, elle était le bras droit de Mr Schwartz, de la firme Schwartz et Taylor, qui arrivait le matin à dix ou onze heures, avait presque chaque jour un déjeuner d'affaires, après lequel il se mettait au travail jusqu'à six ou sept heures du soir.

Est-ce que l'homme du bar avait deviné ça ? Cela se voyait-il sur sa figure ? Il n'en aurait pas été surpris. Après des années de cette vie-là, cela doit se marquer dans l'expression du visage.

Et l'auto ? Elle était inscrite à son nom, c'était déjà ça, mais, le soir, c'était sa femme qui s'en servait pour rentrer à Scottville. Toujours pour de bonnes raisons ! A cause de sa situation importante auprès de Mr Schwartz, si importante que quand, après la naissance des enfants, Steve lui avait demandé de rester à la maison, Mr Schwartz s'était dérangé en personne pour venir persuader Nancy de reprendre son poste.

A cinq heures tapant, Steve, lui, était libre. Il pouvait se précipiter vers le métro de Lexington Avenue, se coincer tant bien que mal dans la foule, sortir en courant à Brooklyn pour attraper de justesse l'autobus qui s'arrêtait en bordure de leur lotissement.

En tout, cela ne prenait que quarante-cinq minutes et il trouvait Ida, la négresse qui s'occupait des enfants à leur retour de l'école, avec déjà son chapeau sur la tête. Son temps devait être précieux, à elle aussi. Le temps de tout le monde était précieux. Il n'y avait que le sien à ne pas l'être.

—*Allô ! C'est toi ? Je vais encore être en retard, ce soir. Ne m'attends pas avant sept heures, peut-être sept heures et demie. Veux-tu faire manger les enfants et les mettre au lit ?*

Il roulait sur la route 6, à une dizaine de miles à peine de Providence, et il dut ralentir car il entrait dans un cortège de voitures. Qu'est-ce que tous les hommes qu'il apercevait au volant étaient en train de penser ? La plupart avaient une femme à côté d'eux. D'autres avaient des enfants qui dormaient sur le siège arrière. Il croyait sentir partout la fatigue morne des salles d'attente et il entendait parfois une bouffée de musique, ou la voix importante d'un speaker.

Il y avait longtemps que son essuie-glace fonctionnait sans raison et, des deux côtés de la route, pompes à essence et restaurants se multipliaient, se rapprochaient les uns des autres, formant une guirlande presque continue de lumières, avec seulement des trous sombres d'un mile ou deux.

Il avait soif d'un verre de bière glacée mais, justement parce que rien ne le retenait plus, il tenait à choisir l'endroit où il s'arrêterait. Le dernier bar lui laissait une sorte de nostalgie et il aurait voulu en trouver un autre du même genre, il passait sans s'arrêter devant les immeubles trop neufs, les enseignes trop élégantes.

Une voiture de police le dépassa en faisant marcher sa sirène, puis une ambulance, une seconde et, un peu plus loin, il dut avancer au pas dans une file de voitures pour contourner deux autos qui avaient littéralement grimpé l'une sur l'autre.

Il eut le temps d'apercevoir un homme en chemise blanche comme lui, comme son ami du bar, les cheveux en désordre, le visage plaqué de sang, qui expliquait quelque chose aux policiers, le bras tendu vers un point de l'espace.

Combien les experts avaient-ils annoncé de morts pour le week-end ? Quatre cent trente-cinq. Il s'en souvenait. Donc, il n'était pas ivre. La preuve, c'est qu'il avait conduit à soixante-dix miles à l'heure sans le moindre accident.

Nancy, dans la demi-obscurité étouffante de l'autocar où les voyageurs dormaient d'un sommeil accablé, devait regretter sa décision. Elle avait une certaine répugnance à se mêler à la foule. L'odeur humaine qui régnait dans le bus l'incommodait sûrement autant que les familiarités de ses voisins. Dans le dernier bar, elle aurait été malheureuse. Peut-être était-elle un peu snob ?

Il préféra laisser passer un mile ou deux après le rassemblement causé par l'accident et, quand il ralentit au bord de la route, deux endroits étaient presque côte à côte, une hostellerie tarabiscotée dont l'enseigne était au néon mauve et, après un vide qui servait de parking, un bâtiment en bois, sans étage, aux allures de log cabin.

Il choisit celui-ci. Une autre preuve qu'il n'était pas ivre, c'est qu'il prit soin de retirer la clef de sa voiture et d'en éteindre les lumières.

A première vue, le bar n'était pas aussi miteux que le précédent et l'intérieur était bien d'une log cabin, avec les murs en bois noirci par les années, d'épaisses poutres au plafond, des pichets en étain et en faïence sur les étagères, quelques fusils du temps de la Révolution qui formaient panoplie.

Le patron, petit et rond, en tablier blanc, le crâne chauve, avait gardé un léger accent allemand. Il y avait une pompe à bière et on servait celle-ci dans d'énormes verres à anse.

Il fut un moment avant de trouver place au comptoir, désigna la pompe sans mot dire, son regard faisait le tour de l'assistance comme s'il cherchait quelqu'un.

Et c'était peut-être vrai qu'il cherchait quelqu'un, à son insu. Ici, il n'y avait pas de télévision, mais un juke-box lumineux, jaune et rouge, dont les rouages luisants maniaient les disques avec une fascinante lenteur. En même temps que la musique jouait, une petite radio fonctionnait derrière le comptoir, pour la seule distraction du patron, aurait-on dit, qui se penchait pour écouter dès qu'il avait un moment de tranquillité.

Steve but sa bière à larges lampées, en homme assoiffé, s'essuya les lèvres du revers de la main et, tout de suite, sans hésiter, prononça :

— Un rye !

La bière n'avait pas de goût. Il avait envie de retrouver la saveur huileuse du whisky irlandais qui lui donnait chaque fois un haut-le-cœur. Il mit une fesse sur
un tabouret, ses deux coudes sur le comptoir et se
trouva exactement dans la pose de l'inconnu du dernier bar.

Ses yeux étaient bleus aussi, d'un bleu un peu moins
clair, ses épaules certainement aussi larges, avec le
même gonflement de la chemise à hauteur des biceps.

Il ne se pressait pas de boire, à présent, écoutait
d'une oreille ce que disaient les deux hommes à sa
droite. Ils étaient soûls. Tout le monde était plus ou
moins soûl et, de temps en temps, un éclat de rire par-
tait de quelque part, ou bien on entendait un verre
éclater sur le plancher.

— Je lui ai dit qu'à douze dollars la tonne il me prenait pour un couillon et, quand il a compris que je ne
rigolais pas, il m'a regardé dans le blanc des yeux
comme ceci, et…

Des tonnes de quoi ? Steve ne le sut jamais. Rien,
dans la conversation, ne lui permettait de le deviner et
celui qui écoutait ne paraissait d'ailleurs pas s'en sou-
cier, anxieux qu'il était d'attraper des bribes de ce que
racontait la radio. Encore un bulletin de nouvelles. Le
speaker faisait le compte des accidents, dont un causé
par la foudre qui avait abattu un arbre sur le toit d'une
voiture.

On parla de politique, mais Steve n'entendit pas, il
avait envie, soudain, de toucher l'épaule de son voisin

de gauche et de prononcer, comme l'avait fait son compagnon de tout à l'heure, autant que possible de la même voix, avec le même visage impénétrable :

— *Un pour mon compte, vieux !*

Parce que son voisin aussi était un solitaire. Seulement, contrairement à l'autre, il ne paraissait pas ivre et il avait devant lui un verre de bière aux trois quarts plein.

Son type était différent. C'était un brun, au visage allongé, à la peau mate, avec des yeux sombres, des doigts maigres extraordinairement articulés dont il se servait de temps en temps pour retirer sa cigarette de ses lèvres.

Il avait lancé un coup d'œil à Steve quand celui-ci était entré, puis, tout de suite, avait regardé ailleurs. Quand il voulut prendre une nouvelle cigarette, il s'aperçut que le paquet qu'il tirait de sa poche était vide, s'éloigna un moment du bar pour se diriger vers le distributeur automatique.

C'est à ce moment-là que Steve remarqua ses souliers trop grands, boueux, de grosses chaussures de fermier qui ne s'harmonisaient pas avec sa silhouette. Il n'avait ni veston ni cravate, seulement une chemise de coton bleu et des pantalons sombres retenus par une large ceinture.

Malgré le poids de ses pieds, il marchait comme un chat et il parvint à aller et venir sans frôler personne, reprit place sur son tabouret, une cigarette aux lèvres, jeta un bref regard à Steve qui ouvrit la bouche pour lui adresser la parole.

Il avait besoin de parler à quelqu'un. Puisque Nancy l'avait voulu ainsi, c'était sa nuit, une occasion qui ne se représenterait peut-être jamais plus. Pour ce qui était de Nancy, il fallait qu'il se mette en tête, tant qu'il avait encore l'esprit clair, de téléphoner aux Keane vers cinq ou six heures du matin. A cette heure-là, sa femme serait arrivée au camp. Comme les deux dernières années, les Keane leur avaient réservé une chambre, tout au moins un lit, dans un des bungalows, car, pendant le week-end du Labor Day, c'est en vain qu'ils auraient cherché à coucher dans les environs. Dans les environs ou ailleurs. C'était partout pareil, d'un bout à l'autre de la carte des Etats-Unis.

— Quarante-cinq millions d'automobilistes ! se moqua-t-il à mi-voix.

Il l'avait fait exprès, pour attirer l'attention de son voisin.

— Quarante-cinq millions d'hommes et de femmes lâchés le long des routes !

Cela prenait soudain à ses yeux les allures d'une découverte et il y songea sérieusement en regardant le garçon brun à sa gauche.

— C'est un spectacle qu'on ne peut voir dans aucun autre pays de la terre ! Quatre cent trente-cinq morts pour lundi soir !

Il fit enfin le geste qu'il avait tant envie de faire, toucha discrètement l'épaule de l'homme.

— Un verre avec moi ?

L'autre se tourna vers lui sans se donner la peine de répondre, mais Steve passa outre, appela le patron penché sur sa minuscule radio.

— Deux ! dit-il en montrant deux doigts.

— Deux quoi ?

— Demandez-lui ce qu'il prend.

Le jeune homme secoua la tête.

— Deux ryes ! s'obstina l'autre.

Il n'était pas offensé. Tout à l'heure, il n'avait pas non plus répondu aux avances de l'inconnu.

— Marié ?

Son voisin n'avait pas d'alliance au doigt, mais cela ne voulait rien dire.

— Moi, j'ai une femme et deux enfants, une fille de dix ans et un garçon de huit. Ils sont tous les deux dans un camp.

Son compagnon était trop jeune pour avoir des enfants de cet âge-là. Il n'avait pas plus de vingt-trois ou vingt-quatre ans. Sans doute n'était-il même pas marié.

— New York ?

Il obtint un résultat, puisque l'autre hocha négativement la tête.

— Tu es de par ici ? Providence ? Boston ?

Un geste plus vague, qui n'était pas affirmatif non plus.

— Le plus crevant, c'est qu'au fond je n'aime pas le rye. Tu aimes le rye, toi ? Je me demande s'il y a des gens qui aiment vraiment le rye.

Il venait de vider son verre et désignait celui que son voisin n'avait pas touché.

— Tu n'en veux pas ? Cela ne fait rien. C'est un pays libre ! Je ne suis pas vexé. Un autre soir, peut-être que je n'en boirais pas non plus pour tout l'or du monde. Cette nuit, il se fait que je suis au rye. C'est comme ça. Et, au fond, c'est la faute de ma femme.

A tout autre moment, il se serait sans doute écarté d'un homme qui aurait parlé comme il le faisait, il s'en rendait compte par éclairs et en était humilié.

Seulement, l'instant d'après, il se persuadait à nouveau qu'il vivait la nuit de sa vie et qu'il devait absolument l'expliquer à son compagnon aux traits tirés.

Peut-être, en réalité, si celui-ci ne buvait pas, était-ce parce qu'il était malade ? Son teint était gris, sa lèvre inférieure agitée par une sorte de tic qui, de temps en temps, donnait une secousse à la cigarette. Steve se demanda même s'il ne se droguait pas.

Cela l'aurait déçu. N'importe quelle drogue, que ce soit la marihuana ou l'héroïne, lui faisait peur, et il observait toujours avec une gêne mêlée d'effroi une cliente de chez Louis, une jolie femme, pourtant très jeune, qui travaillait comme modèle et passait pour intoxiquée.

— Si tu n'es pas marié, tu ne t'es peut-être jamais posé la question. Pourtant c'est une question capitale. On parle de choses qu'on croit importantes et on n'ose pas parler de celle-là. Prends le cas de ma femme. Est-ce que j'ai tort ou est-ce que j'ai raison… ?

Il était mal parti, ne retrouvait pas le fil de son idée. Ce n'était d'ailleurs pas l'idée essentielle. Cela se rapportait aux femmes, soit, mais d'une façon indirecte. Ce qu'il tentait d'expliquer était compliqué, d'une subtilité telle qu'il n'espérait pas y parvenir.

Quelquefois, dix phrases lui venaient aux lèvres en même temps, dix pensées, qui, toutes, avaient leur place dans son raisonnement, mais, dès qu'il avait prononcé quelques mots, il se rendait compte de la quasi-impossibilité de sa tâche.

Cela le décourageait.

— La même chose, patron !

Il faillit devenir furieux en voyant celui-ci hésiter à le servir.

— Est-ce que j'ai l'air d'un homme ivre ? Est-ce que je suis quelqu'un à déclencher du grabuge ? Je parle tranquillement à ce jeune homme, sans élever la voix…

On lui versa à boire et il eut un petit rire de satisfaction.

— Cela vaut mieux ! Qu'est-ce que je te disais ? Je te parlais des femmes et de la grand-route. Voilà le point. Retiens-le. Les femmes contre la grand-route, tu comprends. Elles, elles suivent les rails. Bon ! Elles savent où elles vont. Gamines, elles savent déjà où elles ont envie d'aboutir et, quand on les embrasse en les reconduisant chez elles, elles pensent à leur robe de mariée. Ce n'est pas vrai ça ?

» Je n'en dis d'ailleurs pas de mal. Je reconnais seulement une vérité de la nature.

» Les femmes et les rails.

» Les hommes et la grand-route.

» Parce que les hommes, quoi qu'ils fassent, ce qu'ils ont ici...

Il se frappait la poitrine avec conviction, et, du coup, s'égarait dans les méandres de son raisonnement. C'étaient surtout les mots qui ne venaient pas.

— Les hommes... répétait-il en faisant un effort.

Il aurait voulu expliquer de quoi les hommes ont besoin, de quoi on les prive, faute de savoir. C'était justement le difficile. Il ne s'agissait pas de boire un certain nombre de ryes, comme Nancy l'aurait dit ironiquement. Le rye n'avait aucune importance. Ce qui comptait, une nuit comme celle-ci, par exemple, une nuit mémorable où quarante-cinq millions d'automobilistes étaient lâchés le long des routes, c'était de comprendre, et, pour comprendre, il est indispensable de sortir des rails.

Comme quand il était entré dans l'autre bar ! Où aurait-il rencontré, sauf là, un homme comme celui dont il avait fait connaissance et à qui il n'avait eu besoin de rien dire ? Pas à son bureau, sûrement. A son bureau, la World Travellers, on vendait des miles aussi, des miles-avion, des voyages en avion de luxe, des billets pour Londres, Paris, Rome et Le Caire.

Pour n'importe quel endroit du monde. Chaque client était pressé. Il était indispensable, de la plus haute importance pour chacun de partir tout de suite. Pas chez Schwartz et Taylor non plus qui, eux, vendaient de la publicité, des pages de magazines, des minutes de radio ou de télévision et des emplacements le long des routes.

Pas même chez Louis où, à cinq heures, des clients comme lui venaient à l'abreuvoir pour se remonter d'un Martini sec.

Il avait envie d'un Martini, tout à coup, mais il était sûr que le patron le lui refuserait et il ne voulait pas essuyer un refus devant son nouvel ami.

— Vois-tu, il y a ceux qui en sortent et ceux qui n'en sortent pas. Un point, c'est tout !

Il parlait toujours des rails. Il ne précisait plus. Il lui arrivait même d'escamoter les mots inutiles, peut-être parce qu'ils étaient difficiles à prononcer.

— Moi, cette nuit, j'en suis sorti.

Son précédent compagnon, lui, en était sans doute sorti définitivement. Peut-être aussi l'homme qui téléphonait un message mystérieux, la main en cornet, dans le premier bar.

Et celui-ci ? Steve mourait d'envie de lui poser la question, lui adressait des clins d'œil pour l'encourager à parler de lui-même. Il ne travaillait ni dans un bureau ni dans une ferme, cela se voyait, malgré ses gros souliers. Peut-être traînait-il le long des routes, les poches vides, en faisant de l'auto-stop ? Comprenait-il qu'il n'y avait pas de honte à ça ? Au contraire !

— Demain, je retrouverai les enfants.

Cela lui donna une bouffée de sentimentalité qui lui serra la gorge et soudain il lui sembla qu'il était en train de trahir Bonnie et Dan, s'efforça de les voir en son esprit, n'obtint qu'une image floue et tira son porte-feuille de sa poche pour regarder les photos qu'il avait toujours avec lui.

Ce n'était pas ce qu'il avait voulu dire. Il les aimait bien, ne regrettait pas ce qu'il faisait pour eux mais, ce qu'il tentait farouchement d'expliquer, c'est qu'il était un homme et que...

Il glissait les doigts sous son permis de conduire pour saisir les photos et il tenait la tête baissée quand son compagnon posa une pièce de monnaie sur le comptoir et se dirigea vers la porte. Ce fut fait si vite, comme dans un glissement, qu'il resta un moment à ne pas savoir ce qui arrivait.

— Il est parti ? questionna-t-il, tourné vers le patron.

— Bon débarras !

— Vous le connaissez ?

— Je ne tiens pas à le connaître.

Il fut choqué que le tenancier d'un bar comme celui-ci soit dans les rails, lui aussi. C'était Steve qui avait bu, l'autre pas — il n'avait même pas fini sa bière —, mais c'était Steve qu'on n'en traitait pas moins avec une certaine considération, sans doute parce qu'on lisait sur son visage qu'il était un homme rangé, bien élevé.

— Vos gosses ? interrogeait le patron.

— Mon fils et ma fille.

— Vous allez les chercher à la campagne ?

— Au camp Walla Walla, dans le Maine. Il y a deux camps à proximité l'un de l'autre, un pour les garçons, l'autre pour les filles. Mrs Keane s'occupe de celui des filles tandis que son mari, Hector, qui a l'air d'un vieux boy-scout...

Ce n'était pas lui, c'était la radio que le tenancier du bar écoutait avec attention, fronçant ses gros sourcils, tournant les boutons dans l'espoir d'obtenir une audition plus claire, lançant des regards furieux au juke-box dont la musique noyait les autres bruits.

« ... a échappé successivement, on ne sait pas encore comment, à trois barrages de police et, vers onze heures, il était signalé sur la route 2, roulant en direction du nord dans une voiture volée... »

— Qui est-ce ? demanda-t-il.

La radio continuait :

« Attention. Il est armé. »

Puis :

« Notre prochain bulletin d'information sera diffusé à deux heures. »

De la musique.

— Qui est-ce ?

Il insistait, sans raison.

— Le type qui s'est échappé de Sing-Sing et qui a enfermé la gosse dans un placard avec une tablette de chocolat.

— Quelle gosse ?

— La fille des fermiers de Croton Lake.

Soucieux, le patron ne s'occupait plus de lui, cherchait des yeux quelqu'un d'à peu près sobre à qui parler. Il se dirigea vers le coin où deux hommes et deux femmes étaient attablés devant de la bière, des vieux déjà, qui avaient l'air d'entrepreneurs de bâtiment.

A cause de la musique, Steve n'entendait pas ce qu'ils disaient. On désignait le siège vide à côté du sien et une des femmes, celle qui était assise près du distributeur de cigarettes, paraissait se rappeler soudain quelque chose, le patron écoutait ses explications en hochant la tête, regardait, hésitant, le téléphone mural, s'approchait enfin de Steve Hogan.

— Vous n'avez rien remarqué ?

— Remarqué quoi ?

— Vous n'avez pas vu s'il avait un tatouage à un des poignets ?

Steve ne suivait pas, s'efforçait de comprendre ce qu'on lui voulait.

— Qui ?

— Le type à qui vous avez offert à boire.

— Il a refusé. Il n'y a pas d'offense.

Alors, le patron haussa les épaules et le regarda d'une façon qui lui déplut. Maintenant qu'on ne lui servirait quand même plus à boire et qu'il n'y avait personne à qui parler, autant partir.

Il mit un billet de cinq dollars sur le comptoir, juste dans du mouillé, se leva en vacillant et prononça :

— Payez-vous !

En même temps il s'assurait que personne ne le regardait de travers, car il ne l'aurait pas toléré.

3

Quand il se dirigea vers la porte, d'un pas nonchalant, comme au ralenti, il avait aux lèvres le sourire bienveillant et protecteur d'un fort égaré parmi les faibles. Il se sentait un géant. Comme deux hommes, qui lui tournaient le dos et se parlaient à l'oreille, lui barraient le passage, il les écarta d'un geste large et, bien qu'ils fussent l'un et l'autre aussi grands que lui, il avait l'impression qu'il les dépassait de la tête. Les deux hommes, d'ailleurs, ne protestèrent pas. Steve ne leur cherchait pas querelle, ne cherchait querelle à personne, et si, une fois sur le seuil, il se retournait et restait immobile, à regarder la salle, ce n'était pas par défi.

Il prit le temps d'allumer une cigarette et il se sentait bien. L'air, dehors, était bon aussi, d'une fraîcheur agréable, le prétentieux restaurant d'à côté, avec une guirlande de lumières qui dessinait son pignon, était ridicule, les autos passaient sur la route lisse en faisant toutes le même bruit. Il s'approcha de sa voiture qu'il avait laissée sur la partie obscure du parking, ouvrit la portière, et tous ses gestes, qui avaient une surprenante ampleur, tout ce qu'il voyait, tout ce qu'il faisait lui procurait une intime satisfaction.

Comme il se glissait sur le siège, il aperçut l'homme, assis à la place que Nancy aurait dû occuper. Malgré l'obscurité, il reconnut tout de suite l'ovale allongé du visage, les yeux sombres, et il ne s'étonna pas de le trouver ici, ni de tout ce qui découlait de sa présence.

Au lieu d'avoir un mouvement de recul, d'hésiter, de prendre, peut-être, une attitude défensive, il s'installa confortablement, tirant sur son pantalon comme il en avait l'habitude, tendit le bras pour refermer la portière qui claqua, poussa le bouton de sûreté.

Il n'attendit pas que l'inconnu parle pour prononcer, sur le ton de la conversation plutôt que sur celui d'une question :

— C'est toi ?

Ces mots-là n'avaient pas leur sens habituel. Il vivait plusieurs crans au-dessus de la réalité quotidienne, dans une sorte de super-réalité, et il s'exprimait en raccourci, sûr de lui et sûr d'être compris.

En disant : « C'est toi ? », il ne demandait pas à son compagnon s'il était celui à qui, au bar, il venait d'offrir à boire et l'autre ne s'y méprenait pas. La question était :

— C'est toi le type qu'on recherche ?

Dans son esprit, c'était même encore plus complet. Il n'aurait pas pu l'exprimer, mais il ramassait en deux mots les images éparses récoltées presque à son insu, au cours de la soirée, en faisant un tout cohérent lumineux de simplicité.

Il était fier de sa subtilité, comme il était fier de son calme, de la façon dont il introduisait la clef de contact sans que sa main tremblât, attendant, pour la tourner, la réponse de son compagnon.

Pas d'humilité. Il ne voulait pas se montrer humble. Pas d'indignation non plus, comme en aurait montré le patron du bistrot ou une femme du genre de Nancy. Pas davantage de panique. Il n'avait pas peur. Il comprenait. La preuve que l'autre comprenait aussi et le respectait en retour, c'est qu'il lui disait simplement, sans protester, sans nier, sans tricher :

— Ils m'ont reconnu ?

C'est ainsi qu'il avait imaginé un dialogue entre deux hommes, des vrais, se rencontrant sur la grandroute. Pas de mots inutiles. Chaque réplique qui signifiait autant qu'un long discours. La plupart des gens parlent trop. Est-ce que Steve avait eu besoin de faire des phrases, tout à l'heure, pour que son voisin du premier bar comprenne qu'il n'était pas le banal employé qu'on pouvait supposer ?

C'était sa voiture, maintenant, qu'un autre inconnu avait choisie. Il était armé, la radio venait de l'annoncer. Eprouvait-il le besoin de braquer son arme sur lui ? Se montrait-il menaçant ?

— Je crois que le patron a des doutes, lui dit Steve.

C'était curieux comme des détails qu'il ne croyait pas avoir enregistrés lui revenaient. Il savait parfaitement qu'il s'agissait d'un échappé de Sing-Sing. Le nom, il l'avait oublié, mais il n'avait pas la mémoire des noms, seulement des chiffres et surtout des numéros de téléphone. Cela finissait en *gan*, comme son nom à lui.

Il y avait eu une histoire de fermière près d'un lac et d'une petite fille enfermée dans un placard avec une tablette de chocolat. Il revoyait clairement la petite fille, et, autant qu'il s'en souvienne, c'était la première fois qu'il avait vu une photographie immobile projetée sur un écran de télévision.

On avait montré également la vitrine brisée d'un magasin et on avait parlé de la route 2. Vrai ?

S'il avait été ivre, aurait-il retenu tout cela ?

— Quel signalement ont-ils donné ?

— Ils ont parlé d'un tatouage.

Il attendait toujours, sans impatience, le signal pour mettre le moteur en marche et c'était comme s'il avait prévu toute sa vie que cette heure-là arriverait. Il était satisfait, non seulement de la confiance qu'on lui accordait, mais de la façon dont lui-même se comportait.

N'avait-il pas dit tout à l'heure que c'était sa nuit ?

— Tu es en état de conduire ?

Pour toute réponse, il démarra en questionnant :

— Je contourne Providence par les chemins de campagne ?

— Suis la grand-route.

— Et si la police…

L'homme se pencha vers l'arrière de l'auto, y prit la veste à carreaux bruns que Steve avait emportée, son chapeau de paille qu'il avait laissé sur la banquette. La veste était trop large d'épaules, mais il se tassa dans son coin, comme un voyageur endormi, le chapeau rabattu sur le visage.

— Ne dépasse pas la vitesse réglementaire.

— Compris.

— Evite surtout de brûler les feux rouges.

Pour ne pas se faire prendre en chasse, évidemment.

Ce fut lui qui demanda :

— Comment est-ce que tu t'appelles encore ?

— Sid Halligan. Ils répètent assez mon nom à toutes leurs émissions.

— Dis-moi, Sid, si on rencontre un barrage…

Il roulait à quarante-cinq à l'heure, comme les familles qu'on voyait passer avec des bagages jusque sur le toit.

— Tu suivras les autres.

Il ne s'était jamais trouvé dans une pareille situation et pourtant il n'avait pas besoin d'explications. Il se sentait la même lucidité que son premier compagnon de bar, celui aux yeux bleus, qui lui ressemblait.

D'abord, une nuit comme celle-ci, on ne pouvait pas arrêter toutes les autos sur toutes les routes du New England et examiner les passagers un à un sans créer un embouteillage du tonnerre. Tout ce qu'on faisait, sans doute, c'était de jeter un coup d'œil à l'intérieur des voitures, surtout de celles occupées par un homme seul.

Dans la sienne, ils étaient deux.

— Crevant ! constata-t-il.

Plus tard, passé Providence, il reprendrait la conversation. Il avait eu raison, à la log cabin, de ne pas se vexer du silence de son compagnon. Est-ce qu'à présent celui-ci ne le traitait pas naturellement, comme un camarade ?

Il devait garder l'œil sur la route. Les voitures en sens inverse étaient plus nombreuses. Il commençait à y avoir des croisements à tout bout de champ et on apercevait en contrebas les lumières d'une grande ville.

— Tu connais le chemin ? demanda la voix dans l'ombre.

— Je l'ai fait au moins dix fois.

— En cas de barrage…

— Je sais. Tu me l'as dit.

— Je suppose que tu devines ce qui arriverait si l'idée te venait de…

Pourquoi insister ? Ce n'était pas non plus la peine de garder la main dans sa poche, sans doute sur la crosse de son revolver.

— Je ne parlerai pas.

— Bon.

Cela l'aurait déçu qu'il n'y ait pas de barrage. Chaque fois qu'il voyait des lumières immobiles, il pensait qu'il y était enfin arrivé, mais cela se passa tout autrement qu'il n'avait prévu, les voitures, bientôt, commencèrent à se rapprocher les unes des autres pour finir par se toucher et par s'arrêter tout à fait. Aussi loin qu'on pouvait voir, ce n'étaient qu'autos immobiles et, comme dans une queue, on faisait parfois un bond de quelques mètres pour s'arrêter à nouveau.

— Ça y est.

— Oui.

— Nerveux ?

Il regretta ce mot-là, qui n'eut pas d'écho. A certain moment, comme ils stationnaient devant un bar, la tentation le prit d'aller y boire un verre en vitesse mais il n'osa pas le suggérer.

Il commençait à être envahi, malgré la fraîcheur, par une sueur déplaisante, et ses doigts pianotaient sur le volant. Tantôt Halligan était dans l'ombre, tantôt, à cause des lumières d'une pompe à essence ou d'une auberge, il se trouvait violemment éclairé, immobile dans son coin, avec l'air d'un homme endormi. Malgré sa face longue, son crâne était plus volumineux qu'on n'aurait pensé car le chapeau de Steve, qui croyait avoir une grosse tête, n'était pas trop grand pour lui.

— Cigarette ?

— Non.

Il en alluma une. Sa main tremblait comme celle de l'homme du premier bar quand il avait allumé la sienne, mais, lui, il en était sûr, c'était d'énervement, plus exactement d'impatience. Il n'avait pas peur. Seulement hâte que ce soit passé.

On pouvait voir, maintenant, comment ils avaient organisé leur barrage. Des barrières blanches dressées en travers de la route ne laissaient passer qu'une file de voitures dans chaque sens, ce qui provoquait la congestion, mais, en réalité, à la hauteur des barrières, elles ne s'arrêtaient même pas, elles roulaient au pas, tandis que des policiers en uniforme jetaient un coup d'œil par les portières.

Après Providence, ce serait sans doute fini, car on ne devait pas chercher si loin.

— Qu'est-ce que c'est, l'histoire de la petite fille ?

La radio marchait dans la voiture qui les précédait et une femme avait la tête posée sur l'épaule du conducteur.

Halligan ne répondit pas. Ce n'était pas le moment. Steve y reviendrait plus tard. Il reviendrait aussi sur les explications qu'il avait commencé à lui fournir dans la log cabin. Si un homme comme Sid ne comprenait pas, personne ne comprendrait.

Sid avait-il toujours été comme ça ? Cela lui était-il venu naturellement, sans effort ? Sans doute avait-il été très pauvre. Quand on a passé son enfance dans un faubourg populeux où toute la famille vit dans une seule chambre et où, à dix ans, un gamin fait déjà partie d'un gang, cela doit être plus facile.

Peut-être ne se rendait-il même pas compte ?

— Avance.

Puis, comme ils stoppaient à nouveau :

— Combien d'essence dans le réservoir ?

— Moitié.

— Cela veut dire combien de miles ?

— A peu près cent cinquante.

C'était maintenant qu'il aurait eu besoin d'un rye pour se maintenir au niveau qu'il avait atteint. Par instants, son bien-être, son assurance menaçaient de se dissiper, il lui venait des pensées plus crues, déplaisantes, l'idée, par exemple, que, si on les arrêtait tous les deux, on ne croirait pas à son innocence et que des détectives se relayeraient pendant des heures pour le questionner sans lui accorder un verre d'eau ou une cigarette. On lui retirerait sa cravate et ses lacets de souliers. On ferait venir Nancy pour le reconnaître.

Quand il n'y eut plus que trois voitures, ses jambes mollirent au point qu'il fut un moment sans trouver l'accélérateur pour avancer à son tour.

— Veille à ne pas leur souffler ton haleine dans la figure.

Halligan disait cela sans bouger, du coin de la bouche, avec toujours l'air de dormir.

L'auto atteignit la barrière et, comme Steve allait stopper, un policier lui fit signe d'avancer, d'aller plus vite, se contentant d'un vague coup d'œil à l'intérieur. C'était fini. La route était libre devant eux, ou plutôt la rue qui descendait dans la ville qu'ils devaient traverser.

— Ça y est ! s'écria-t-il, soulagé, en poussant l'auto à quarante.

— Qu'est-ce qui y est ?

— On a passé.

— L'écriteau dit trente-cinq à l'heure. Direction Boston. Tu connais ?

— C'est la route que je prends.

Ils passèrent devant une boîte de nuit éclairée en rouge et cela lui donna soif, il évita une fois encore d'en parler, se contenta d'allumer une cigarette.

— Qu'est-ce qui te prend ?

— Quoi ?

— Tu conduis, non ? Tu n'es pas capable de rouler à droite ?

— Tu as raison.

C'était vrai qu'il conduisait mollement, tout à coup, il n'aurait pas pu dire pouquoi. Tant qu'on n'avait pas franchi le barrage, il s'était senti ferme, aussi fort et sûr de lui qu'en quittant la log cabin. Maintenant, son corps avait tendance à se tasser, les rues, devant lui, manquaient de consistance. A un tournant, il faillit grimper sur le trottoir.

Dans sa tête aussi cela redevenait confus et il se promettait, dès qu'ils auraient retrouvé la grand-route, de demander à Sid la permission d'aller boire un verre. Est-ce que Sid se méfierait de lui ? Ne venait-il pas de faire ses preuves ?

— Tu es sûr que tu ne t'es pas trompé de chemin ?

— Un peu plus bas, j'ai vu une flèche, et il était marqué Boston.

Et, avec une soudaine inquiétude :

— Où est-ce que tu vas ?

— Plus loin. Ne t'occupe pas.

— Moi, je vais dans le Maine. Ma femme m'attend avec les enfants.

— Roule toujours.

Ils avaient dépassé les faubourgs et il n'y avait plus que la nuit des deux côtés de la route où les voitures, clairsemées, roulaient de plus en plus vite.

— Il faudra faire le plein avant que les pompes soient fermées.

Il dit oui. Il avait envie de poser une question, une seule, à son compagnon :

— Tu as confiance ?

Il aurait aimé que Sid ait confiance, qu'il sache que Steve n'allait pas le trahir.

Au lieu de cela, il prononça :

— La plupart des hommes ont peur.

— De quoi ? laissa tomber l'autre qui avait retiré son chapeau et qui allumait une cigarette.

Il chercha la réponse. Il aurait dû en trouver une, en un mot, parce que ce sont les seules vraies réponses. Cela lui paraissait si évident qu'il enrageait de son impuissance à s'expliquer.

— Je ne sais pas, finit-il par avouer.

Puis, tout de suite, avec l'impression qu'il lui venait une inspiration de génie :

— Ils ne savent pas non plus.

Sid Halligan, lui, n'avait pas peur. Il n'avait peut-être jamais eu peur et c'était pour cela que Steve le traitait avec considération.

Cet homme-là, qui n'était même pas bien bâti, était seul sur la grand-route, sans doute avec pas d'argent en poche, et la police de trois Etats le chassait depuis quarante-huit heures. Il n'avait ni femme, ni enfants, ni maison, probablement pas d'amis non plus, et il allait son chemin dans la nuit ; quand il avait besoin d'un revolver, il brisait la vitre d'un magasin pour en prendre un.

Cela lui arrivait-il de se demander ce que les gens pensaient de lui ? Au bar, il était resté accoudé devant un verre de bière, et il ne buvait pas, à attendre une occasion d'aller plus loin, prêt à partir précipitamment dès que la radio donnerait à nouveau son signalement et que ses voisins le regarderaient d'un œil soupçonneux.

— Combien de temps avais-tu à tirer à Sing-Sing ?

Halligan sursauta, non pas à cause de la question, mais parce qu'il avait été sur le point de s'endormir et que c'était la voix de Steve qui l'en avait empêché.

— Dix ans.

— Combien as-tu fait ?

— Quatre.

— Tu as dû y entrer tout jeune.

— Dix-neuf ans.

— Et avant ?

— Trois ans de maison de redressement.

70

— Pourquoi ?

— Voitures.

— Et les dix ans ?

— Voiture et hold-up.

— A New York ?

— Sur la route.

— Tu venais d'où ?

— Missouri.

— Tu t'es servi de ton revolver ?

— Si j'avais tiré, ils m'auraient envoyé à la chaise.

Une fois, un an plus tôt, Steve avait presque assisté à un hold-up, en plein jour, dans Madison Avenue. Plus exactement, il en avait vu l'épilogue. En face de son bureau, il y avait une banque au portail monumental. Quelques minutes après neuf heures, alors qu'il donnait ses premiers coups de téléphone aux aéroports, une vibrante sonnerie avait retenti dehors, la sonnerie d'alarme de la banque, et, dans la rue, les passants s'étaient figés, les autos s'étaient arrêtées pour la plupart, un agent en uniforme s'était élancé vers l'entrée en tirant son revolver de sa ceinture.

Après un temps ridiculement court, il ressortait déjà en compagnie d'un garde en uniforme de la banque et ils poussaient devant eux deux hommes si jeunes que c'étaient presque des gamins, qui avaient des menottes aux poignets et tenaient leurs bras devant leur visage. D'un magasin d'appareils photographiques, quelqu'un avait surgi, qui prenait des instantanés, et, comme par enchantement, comme si la scène avait été réglée d'avance, une voiture de police s'arrêtait au bord du trottoir dans un grand bruit de sirène.

Pendant deux minutes environ, les jeunes gens étaient restés là, isolés de la foule, seuls au milieu d'un grand espace, immobiles, dans la même pose, avec pour fond le portail solennel, et, quand on les avait enfin emmenés, Steve avait pensé qu'ils en avaient pour dix ans au moins avant de revoir une rue, un trottoir. Il se souvenait à présent que ce qui l'avait le plus frappé, c'était l'idée que, pendant ces dix années-là, ils ne connaîtraient pas de femme.

L'image de la petite fille dans le placard le chiffonnait, parce qu'elle lui rappelait Bonnie, bien que Bonnie, elle, eût dix ans.

— Pourquoi l'as-tu enfermée ?

— Parce qu'elle criait et qu'elle aurait ameuté les voisins. Il fallait me donner le temps de m'éloigner du village. Je ne voulais pas l'attacher, comme sa mère, par crainte de lui faire mal. J'ai trouvé une tablette de chocolat dans l'armoire et je la lui ai donnée, puis je l'ai poussée dans le placard en lui disant de ne pas avoir peur et j'ai tourné la clef dans la serrure. Je ne l'ai pas brutalisée. J'ai fait mon possible pour ne pas l'effrayer.

— Et la mère ?

— Voici un garage ouvert. On fait mieux d'arrêter pour le plein.

D'un mouvement automatique, il plongeait la main dans sa poche, après avoir remis son chapeau et s'être calé dans le coin de la banquette.

— Tu as de l'argent ?

— Oui.

— Fais vite.

Le pompiste, sans les regarder, alla dévisser le bouchon du réservoir.

— Combien de gallons ?

— Le plein.

Ils se turent, immobiles. Puis Steve tendit à l'homme un billet de dix dollars.

— Tu n'aurais pas par hasard une bouteille de bière fraîche ?

Sid, dans son coin, n'osa pas protester.

— Je n'ai pas de bière. Mais peut-être que je dénicherai par là un quart de litre de gnôle.

Quand il eut la bouteille plate dans la main, Steve eut si peur que son compagnon l'empêche de boire qu'il la déboucha aussitôt, colla ses lèvres au goulot, lampant autant de liquide qu'il pouvait d'une seule haleine.

— Merci, vieux. Garde la monnaie.

— Vous allez loin ?

— Maine.

— A cette heure, cela commence à se calmer.

Ils repartirent. Steve demanda après un moment :

— Tu en veux ?

Et, tandis qu'il posait cette question, sa voix était la même que s'il l'avait posée à Nancy, c'était comme s'il se croyait coupable ou comme s'il croyait nécessaire de s'excuser. Halligan ne répondit pas. Il ne devait pas boire. D'abord, pour lui, cela aurait été dangereux d'être ivre. Ensuite, il n'en avait pas besoin.

Pourquoi ne pas le lui expliquer ? Steve n'avait pas de respect humain. Ils avaient tout le temps. La route était encore longue devant eux, bordée, pour autant qu'on en pouvait juger, par des forêts.

— Il ne t'arrive jamais de te soûler ?

— Non.

— Cela te fait mal ?

— Je n'en ai pas envie.

— Parce que tu n'as pas besoin de ça, affirma Steve.

Il regarda son compagnon et vit bien que celui-ci ne comprenait pas. Il devait être épuisé de fatigue. Dans l'auto, il paraissait encore plus pâle que dans le bar et sans doute se tenait-il à quatre pour ne pas s'endormir. Avait-il seulement fermé les yeux depuis qu'il avait quitté le pénitencier ?

— Tu as dormi ?

— Non.

— Tu as sommeil ?

— Je dormirai après.

— D'habitude, je ne bois pas non plus. Seulement un verre en fin d'après-midi, avec ma femme, les jours où nous rentrons ensemble. Les autres soirs, je n'en ai pas le temps, à cause des enfants.

Il lui semblait qu'il avait déjà raconté l'histoire des enfants qui l'attendaient et d'Ida, la négresse, qu'il trouvait le plus souvent sur le seuil, son chapeau sur la tête, et qui paraissait l'accuser d'arriver en retard exprès. Peut-être l'avait-il seulement pensé ? Maintenant qu'il avait une bouteille à sa disposition, tout allait bien.

Il la chercha de la main sur la banquette, pas pour boire, mais pour s'assurer qu'elle était toujours là, et la voix de son compagnon, dans l'ombre, fit sèchement :

— Non.

Sid était encore plus catégorique que Nancy.

— Regarde la route devant toi.

— Je la regarde.

— Tu conduis mou.

— Tu veux que je roule plus vite ?

— Je veux que tu roules droit.

— Tu n'as pas confiance ? C'est quand j'ai bu un verre que je conduis le mieux.

— Un, peut-être.

— Je ne suis pas ivre.

Sid haussa les épaules, soupira avec l'air de quelqu'un qui n'a pas envie de parler. Steve rongea son frein. Cette attitude-là l'humiliait et il commençait à se demander si son compagnon était intelligent.

Pourquoi le laissait-il conduire au lieu de prendre le volant, s'il n'avait pas confiance ? Il trouva la réponse instantanément, ce qui prouvait que la gorgée de whisky qu'il avait avalée au garage ne lui avait pas enlevé sa lucidité.

Même s'ils ne rencontraient pas un autre barrage, il était toujours possible qu'une patrouille les arrête pour vérifier leurs papiers. Or, c'est automatiquement du côté du conducteur que les policiers se penchent. Tout comme à Providence, on ne penserait pas à examiner l'homme endormi.

Il commençait à faire froid. L'air était humide. L'horloge de bord ne marchait plus depuis des mois et, sans raison précise, Steve n'osait pas tirer sa montre de sa poche. Il n'avait aucune idée de l'heure. Quand il essaya de calculer le temps qui s'était écoulé, il s'embrouilla, ouvrit la bouche pour dire quelque chose, la referma.

Il ne savait pas ce qu'il avait voulu dire. S'il pouvait s'arrêter un instant, il prendrait sa gabardine qui devait se trouver dans le fond de la voiture ou dans le coffre arrière, car, sous sa chemise, il lui arrivait de frissonner et il ne pouvait pas décemment réclamer son veston.

— Où comptes-tu aller ?

Il n'aurait pas dû poser cette question-là, qui risquait de provoquer la méfiance de Halligan. Par chance, celui-là ne l'entendit pas car, malgré toute sa volonté, il avait fini par s'endormir et sa bouche entrouverte laissait passer un souffle régulier, légèrement sifflant.

De sa main, Steve tâta la banquette jusqu'à ce qu'il trouve la bouteille dont, avec précaution, il retira le bouchon, avec ses dents. Comme c'était à peu près certain qu'on ne le laisserait plus boire, il vida le flacon jusqu'à la dernière goutte, s'y reprenant à trois reprises, retenant sa respiration, tandis qu'une violente chaleur lui montait aux tempes et embuait ses yeux.

Il prit soin de remettre le bouchon, de poser la bouteille à sa place, et il retirait la main de la banquette quand l'auto fit une embardée, eut deux ou trois secousses. Il la redressa à temps, lâchant l'accélérateur, poussant progressivement le frein et, après de nouveaux chocs, la voiture s'arrêta au bord du chemin.

Il avait été si surpris, cela avait été si inattendu et rapide qu'il n'avait pas fait attention à Sid Halligan et il fut ahuri de voir celui-ci qui braquait sur lui le canon de son revolver. Son visage était sans expression. Seulement celle d'une bête qui se tasse pour faire face au danger.

— Un pneu… balbutia Steve dont le front se couvrait de sueur.

Ce n'était pas tant à cause du revolver. C'est parce qu'il pouvait à peine parler. Sa langue était si épaisse que le mot pneu sortait tout déformé de ses lèvres. Il essayait un autre mot :

— Une crevaison…

» … pas fait exprès…

Sans rien dire, sans lâcher son arme, l'autre alluma le tableau de bord, saisit la bouteille qu'il regarda en transparence d'un air dégoûté et qu'il lança par la portière.

— Descends.

— Oui.

Il n'aurait jamais cru que cet alcool-là lui ferait un effet aussi foudroyant. La portière ouverte, il dut s'y cramponner pour descendre.

— Tu as une roue de secours ?

— Dans le coffre.

— Fais vite.

Il s'avança, les jambes à la fois raides et vacillantes, vers l'arrière de la voiture, mais il avait maintenant la certitude que, s'il s'obstinait à rester debout, il finirait par s'écrouler tout d'une pièce. C'était surtout dangereux pour lui de se pencher, à cause du vertige. Même la poignée du coffre était trop dure, trop compliquée pour lui, et ce fut son compagnon qui vint la tourner.

— Tu as un cric ?

— Je dois.

— Où ?

Il ne savait pas. Il ne savait plus rien. Quelque chose venait de flancher en lui. Il avait envie de s'asseoir dans l'herbe au bord du chemin et de se mettre à pleurer.

— Alors ?

Il le fallait coûte que coûte. S'il ne montrait pas de bonne volonté, Halligan était capable de le tuer. Il passait une voiture toutes les deux ou trois minutes, et, le reste du temps, ils étaient seuls dans l'espace, avec le feuillage des arbres qui bruissait doucement au-dessus de leur tête.

Ceux qui passaient, presque tous à pleins gaz, ne se préoccupaient pas d'une auto arrêtée au bord de la route, ni des deux silhouettes qu'ils apercevaient dans l'espace d'un éclair dans le faisceau de leurs phares.

Halligan pouvait l'abattre sans danger s'il en avait envie, traîner son corps dans le bois où on mettrait des jours à le découvrir, surtout s'il était loin d'un village. Sid hésiterait-il à tuer quelqu'un ? Probablement pas. Tout à l'heure, en parlant de la petite fille, il avait affirmé qu'il ne lui avait pas fait de mal et qu'il n'avait pas voulu l'effrayer. Mais qu'avait-il fait à sa mère ? Il n'oserait plus, maintenant, poser la question, ni aucune question.

Il tenait le cric à la main. C'était le pneu arrière droit qui était crevé et Sid restait près de lui sans lâcher son arme.

— Tu te demandes où le mettre ?

— Je sais.

Pour ne pas se pencher, il s'agenouilla, se mit à quatre pattes, s'efforçant de glisser le cric à sa place, et soudain il se sentit partir, s'écrasa mollement sur le sol, les bras en avant, en balbutiant :

— Pardon.

Il ne perdit pas connaissance. Et même, si Halligan n'avait pas été là avec son revolver, cela n'aurait pas été une sensation désagréable. Tout s'était détendu d'un seul coup, c'était comme si son corps et sa tête s'étaient vidés et il n'avait plus d'effort à faire, c'était inutile, il n'avait qu'à se laisser aller et à attendre.

Peut-être qu'il allait dormir ? Cela n'avait pas d'importance. Une seule fois, il avait été dans cet état-là, chez lui, un soir qu'ils avaient reçu des amis et qu'il vidait les verres de tout le monde. Quand ils étaient restés seuls, Nancy et lui, il s'était laissé tomber dans un fauteuil, les jambes étendues devant lui, et il avait soupiré avec un soulagement intense, un sourire béat aux lèvres :

— *Fi-ni !*

S'il connaissait surtout la suite par ce que sa femme lui avait raconté, il n'en avait pas moins l'impression qu'un certain nombre d'images lui étaient restées. Elle lui avait fait boire un café dont il avait renversé la plus grande partie, puis respirer de l'ammoniaque. Elle l'avait aidé à se mettre debout, en lui parlant durement, d'une voix de commandement, et, comme il retombait chaque fois, elle avait fini par le tirer derrière elle, les deux bras de Steve passés par-dessus ses épaules, les jambes traînant sur le tapis.

— *Je ne voulais pas que les enfants te trouvent affalé dans un fauteuil du living-room en se levant le matin.*

Elle était parvenue à le déshabiller et à lui passer son pyjama.

— *Soulève-toi Steve. Tu m'entends ? Il faut que tu soulèves tes reins. Pas tes épaules.*

Halligan, lui, le traînait par un bras jusqu'au bord du talus où il le laissait s'affaisser dans les hautes herbes. Steve n'avait pas les yeux fermés. Il ne dormait pas. Il savait ce qui se passait, entendait les jurons que son compagnon grommelait en maniant le cric qui grinçait.

Ce n'était pas la peine de se faire du mauvais sang puisque, de toute façon, il était à sa merci. Sans défense, comme l'enfant qui vient de naître. Le mot l'amusa. Il le répéta deux ou trois fois dans sa tête. Sans défense ! C'est à peine s'il parvenait à se mettre sur son séant en s'apercevant qu'il avait la tête dans les orties.

— Bouge pas !

Il ne tenta pas de répondre. Il savait qu'il ne pouvait plus parler, c'était crevant. Il remuait encore les lèvres, non sans effort, et il n'en sortait pas plus de son que d'un sifflet bouché.

N'avait-il pas annoncé que c'était sa nuit ? Dommage que Nancy ne fût pas là pour voir ! Il est vrai qu'elle n'y aurait rien compris. D'ailleurs, si elle avait été là, il ne se serait rien passé. Ils seraient maintenant arrivés au camp.

Il ne savait pas l'heure. Il n'avait plus besoin de savoir l'heure. Nancy aurait hésité à éveiller Mrs Keane. Son prénom était Gertrud. On entendait de loin, à travers le camp, la voix de Mr Keane qui appelait :

— Gertrud !

Son prénom à lui était Hector. Ils n'avaient pas d'enfants. Il était impossible, il n'aurait pu dire pourquoi, de les imaginer tous les deux en train de faire un enfant.

Hector Keane portait des shorts kaki qui lui donnaient l'air d'un gamin trop poussé et il avait toujours une petite trompette pendue autour du cou pour rassembler les enfants du camp. Il jouait à tous les jeux avec eux, grimpait aux arbres, et on sentait que ce n'était pas pour gagner sa vie, ou par devoir profes-sionnel, mais parce que ça l'amusait.

Sid s'acharnait toujours sur la roue et c'était crevant aussi, parce que cela le mettait de mauvaise humeur et qu'il mâchonnait des mots sans suite.

Avait-il envie de tuer Steve ? D'abord, cela ne lui servirait à rien, sinon, selon son expression de tout à l'heure, à l'envoyer un jour ou l'autre à la chaise.

Peut-être allait-il l'abandonner ici. Steve regrettait de n'avoir pas mis plus tôt son imperméable, car il commençait à grelotter.

S'il parvenait à ne pas dormir, peut-être, après tout, allait-il regagner un peu d'énergie. Sa tête avait beau être lourde, il refusait de fermer les yeux et il ne per-dait pas conscience. Si ce n'avait été sa langue épaisse et comme paralysée, il aurait été capable de répéter tout ce qu'il avait raconté depuis le début de la soirée. Peut-être pas dans l'ordre. Et encore !

Il était sûr de ne pas avoir dit de bêtises. On pouvait croire le contraire, à première vue, parce qu'il ne s'était pas toujours donné la peine de faire les phrases habituelles. Il avait pris des raccourcis. En apparence, il mélangeait les sujets.

Au fond, tout se tenait et il ne regrettait rien. Rien que son imperméable. Et aussi de ne pas avoir demandé à temps ce qui était arrivé à la mère de la petite fille. Il était persuadé que Sid lui aurait répondu.

Au point où ils en étaient, il n'avait aucune raison de
lui cacher quoi que ce fût. D'ailleurs toutes les radios
en avaient parlé.

Peut-être Nancy était-elle toujours dans le car ?
Comment allait-elle s'y prendre, une fois à Hampton ?
Il restait une vingtaine de miles de mauvaise route le
long de la mer pour atteindre le camp. Si elle ne trouvait pas de taxi et si, comme c'était plus que probable,
tous les hôtels de Hampton étaient pleins, que ferait-
elle ?

Pour travailler plus à son aise, Sid avait retiré la
veste de tweed et il était maintenant en train de bou-
lonner la roue de secours. Quand il eut fini, il referma
le coffre, sans se donner la peine d'y remettre la roue
au pneu crevé. Après tout, ce n'était pas sa voiture !

Steve était curieux de savoir ce qu'il allait faire. Il
paraissait embarrassé, soucieux, remettait le veston,
s'approchait du talus. Planté devant lui, il le fixait un
bon moment, de haut en bas, puis, se penchant, il lui
appliquait une gifle sur chaque joue, sans colère,
comme par acquit de conscience.

— Tu peux te lever, à présent ?

Steve n'en avait pas envie. Les gifles l'avaient à
peine troublé dans sa bienheureuse torpeur et il regardait son compagnon d'un œil indifférent.

— Essaye !

Doucement, il fit non de la tête. Et, quand il leva le
bras pour se protéger, il était déjà trop tard, deux
autres gifles s'étaient abattues sur son visage.

— Maintenant ?

Il se mit d'abord à quatre pattes, puis à genoux, et ses lèvres remuaient sans qu'on pût savoir ce qu'il disait :

— Ne me brutalise pas.

Pourquoi pensait-il à la petite fille et souriait-il ?

C'était crevant. Avec l'aide de Halligan qui le soutenait, il atteignit la voiture et s'affala sur la banquette, mais pas du côté du volant.

4

Avant d'ouvrir les yeux, il s'étonna de son immobilité. Il ne se souvenait pas encore de sa randonnée en auto, ni de l'endroit où il pouvait se trouver, mais un obscur instinct lui disait que cette immobilité avait quelque chose d'anormal, voire de menaçant.

Peut-être fit-il un léger mouvement et il ressentit une vive douleur à la nuque, des milliers d'aiguilles qui lui pénétraient la chair, et il se crut blessé, ce qui expliquait la lourdeur de sa tête.

En même temps, à travers ses paupières closes, il percevait l'éclat du soleil.

Il aurait juré qu'il n'avait pas dormi, comprenait d'autant moins le trou dans sa mémoire qu'il n'avait jamais perdu conscience du mouvement monotone de la voiture.

Or, ce mouvement n'existait plus. Il était ou blessé ou malade et il avait peur d'apprendre la vérité qui ne pouvait qu'être déplaisante, reculait le moment d'y faire face, s'efforçant de se replonger dans sa torpeur.

Il était sur le point d'y parvenir, l'anéantissement l'envahissait à nouveau quand un klaxon éclata tout près de lui, si aigu qu'il ne se souvenait pas en avoir entendu de semblable, et une auto passa en déchirant l'air. Presque tout de suite après, ce fut un camion, dont une chaîne qui pendait sautait sur la route avec un bruit de clochettes.

Il crut même entendre de vraies cloches, très loin, plus loin que les gazouillis d'oiseaux et que le sifflement du merle, mais cela devait être une illusion, comme c'en était sans doute une d'imaginer un ciel d'un bleu irréel où étaient suspendus deux petits nuages brillants.

L'odeur de la mer et des pins était-elle une illusion aussi ? Et un sautillement, dans l'herbe, qu'il prenait pour le sautillement d'un écureuil ?

Sa main qui tâtonnait s'attendait à rencontrer de l'herbe lisse mais ce qu'elle trouvait c'était le drap usé qui recouvrait les sièges de l'auto.

Il ouvrit les yeux, brusquement, par défi, fut ébloui par la lumière du matin le plus brillant qu'il eût connu.

Entre le passage des autos, qui produisait chaque fois un courant d'air frais, on n'entendait aucun bruit que le chant des oiseaux et cela l'émut de constater que l'écureuil était bien là, se tenait maintenant à mi-hauteur du tronc bronzé d'un pin et le regardait de ses petits yeux vifs et ronds.

La chaleur d'une journée d'été montait du sol en une buée qui faisait frémir la lumière et celle-ci le pénétrait tellement par les yeux qu'il en eut le vertige et retrouva dans sa bouche l'arrière-goût écœurant du whisky !

Il n'y avait que lui dans l'auto et il ne se trouvait pas à la place qu'il occupait quand il s'y était installé, mais assis devant le volant. La route était large, satinée, glorieuse, faite comme pour une apothéose, avec ses bandes blanches qui dessinaient trois voies dans chaque sens et, des deux côtés, des bois de pins qui s'étendaient à perte de vue, le ciel d'un bleu plus nacré à droite où, sans doute, pas très loin, l'ourlet blanc de la mer venait s'affaisser sur la plage.

Quand il tenta de redresser son corps recroquevillé, la même douleur lui tenailla la nuque du côté de la portière ouverte et il n'avait pas besoin de passer sa main sur sa peau pour savoir qu'il n'était pas blessé. Il avait pris froid. Sa chemise restait imbibée de l'humidité de la nuit. Il chercha une cigarette dans sa poche, l'alluma, et elle avait si mauvais goût qu'il hésita à la fumer. S'il le fit, c'est que, de la tenir entre ses lèvres, d'aspirer la fumée, et de la rejeter d'un mouvement familier, lui donnait l'impression d'être rentré dans la vie.

Il attendit, pour descendre, un vide entre les voitures qui se suivaient à un rythme régulier, différent de celui de la veille au départ de New York, différent aussi de celui de la nuit. Ces autos-ci portaient presque toutes des plaques d'immatriculation du Massachusetts et les gens, à bord, étaient vêtus de clair, les hommes avaient des chemises bariolées, les femmes étaient en short, quelques-unes en costume de bain. Il vit des clubs de golf, des canoës sur les toits.

Elles venaient vraisemblablement de Boston et se dirigeaient vers les plages proches. La radio devait annoncer triomphalement un week-end idéal, prévoir que, comme chaque année, un million et demi de New-Yorkais s'entasseraient l'après-midi sur la plage de Coney Island.

Malgré la douceur de l'air, il restait froid à l'intérieur, chercha en vain son veston de tweed ou sa gabardine. Il y avait une autre veste, plus légère, dans sa valise. Contournant la voiture, il ouvrit le coffre arrière et son visage exprima la stupeur et la déception.

Il était triste, ce matin-là, d'une tristesse immense, quasi cosmique. Sa valise avait disparu du coffre et, avant de l'emporter, on avait retiré les effets de Nancy, du linge, des sandales, un maillot de bain, qui traînaient pêle-mêle parmi les outils. Le sac de toilette qui contenait entre autres son peigne, sa brosse à dents et son rasoir avait disparu aussi.

Il n'essayait pas de penser. Il était seulement triste, aurait donné gros pour que les choses ne prennent pas une tournure aussi sordide.

Ce n'est qu'après avoir refermé le coffre qu'il s'aperçut que le pneu arrière droit était aplati sur le sol. Jusqu'alors, il ne s'était pas demandé pourquoi l'auto était arrêtée sur le bas-côté.

Il y avait eu une crevaison, à la même roue que la première fois, ce qui n'était pas surprenant car le pneu de secours était vieux et il ne pensait jamais à le faire regonfler.

Il n'avait rien entendu. Halligan ne s'était pas donné la peine de l'éveiller ou s'il l'avait tenté, il n'y était pas parvenu. Pourquoi l'aurait-il éveillé ? Il avait emporté la valise après avoir eu soin de l'alléger des vêtements féminins, et pris la précaution, pour donner un air plus naturel à l'auto arrêtée au bord de la route, d'asseoir Steve devant le volant.

Il existait peut-être une petite gare dans les environs ? Ou bien, Halligan avait fait de l'auto-stop. La valise à la main, il était déjà plus rassurant.

Tout au bout de la route, à l'horizon, un toit rouge était visible dans le soleil et ce qui brillait en dessous devait être un rang de pompes à essence. C'était loin, à un demi-mile, peut-être davantage. Il ne se sentit pas la force de marcher jusque-là, s'installa à proximité de la voiture en panne, tourné vers la gauche, levant le bras au passage de chaque auto.

Cinq ou six passèrent sans s'arrêter. Un camion-citerne rouge ralentit, le conducteur lui fit signe de sauter sur le marchepied, ouvrit la portière sans stopper tout à fait.

— Crevaison ?

— Oui. C'est un garage qu'on voit là-bas ?

— Ça y ressemble.

Il se sentait pâlir, car la trépidation du camion lui donnait mal au cœur, sa tête lui faisait aussi mal que si on l'avait frappée à coups de marteau.

— Nous sommes loin de Boston ? demanda-t-il.

Le colosse roux qui conduisait le regarda avec un étonnement où il y avait une pointe de suspicion.

— Vous allez à Boston ?

— C'est-à-dire que je me rends dans le Maine.

— Boston est à cinquante miles derrière nous. Pour le moment, nous traversons le New Hampshire.

Ils approchaient du bâtiment qui était bien un garage et, tout près, il y avait une cafétéria.

— Je crois que vous avez bougrement besoin d'une tasse de café !

Cela devait se voir qu'il avait la gueule de bois. Tous ceux qui passaient en voiture à cette heure-ci avaient couché dans leur lit, étaient rasés de frais, portaient du linge propre.

Il se sentait sale, même en dedans. Ses mouvements n'avaient pas repris leur précision et, quand il saisit la portière pour descendre, il eut honte de constater que ses mains tremblaient.

— Bonne chance !

— Merci.

Il ne lui avait même pas offert une cigarette. Peut-être cela aurait-il été moins pénible s'il avait continué de pleuvoir, si le temps avait été gris, venteux. Jusqu'au garage qui était neuf, d'une propreté méticuleuse, avec

des pompistes en salopette de toile blanche. Il s'approcha de l'un d'eux qui était inoccupé.

— Ma voiture est en panne un peu plus haut, dit-il
d'une voix si morne qu'il devait faire l'effet d'un
mendiant.

— Voyez le patron au bureau.

Il dut passer devant une auto découverte dans
laquelle trois jeunes gens et trois jeunes filles en short
mangeaient déjà des cornets de crème glacée. On le
regarda, il était fripé. Sa barbe avait poussé. Quand il
entra dans le bureau dans un coin duquel des pneus
neufs étaient empilés, le patron en manches de chemise, qui fumait un cigare, attendit qu'il parle.

— Ma voiture est en panne à un demi-mile d'ici en
direction de Boston. Un pneu crevé.

— Vous n'avez pas de roue de secours ?

Il préféra dire non que d'avouer qu'il l'avait abandonnée sur la route.

— Je vais envoyer quelqu'un. Vous en avez pour
une bonne heure.

Il vit une cabine téléphonique, préféra attendre
d'avoir bu du café.

Il n'en voulait pas à Sid Halligan d'être parti, se
rendait compte qu'il n'avait pas eu le choix. Ce dont
il lui gardait rancune, c'était de la déception qu'il lui
causait.

A y regarder de plus près, c'était de lui-même qu'il
avait honte, surtout des bribes de souvenirs qui

commençaient à lui revenir et qu'il aurait voulu oublier à jamais.

— Vous avez la clef ?

— Elle est dessus.

En disant cela, il s'aperçut qu'en réalité il n'en savait rien, que ce n'était pas lui qui avait conduit en dernier lieu. Si Halligan avait emporté la clef ou avait eu l'idée de la jeter dans les broussailles ?

— Je suppose que vous attendez à côté ?

— Oui. J'ai roulé toute la nuit.

— New York ?

— Oui.

La moue de l'homme ne signifiait-elle pas qu'une nuit entière c'était beaucoup pour venir de New York et que Steve avait dû s'arrêter pas mal de fois en chemin ?

Il préféra s'éloigner.

— *Toi, tu es un frère !*

C'étaient ces mots-là qu'il avait répétés comme un leitmotiv, qui l'humiliaient le plus. Il était alors enfoncé dans son coin, entouré d'ombre, et il devait sourire béatement, il affirmait à son compagnon qu'il était heureux comme il ne l'avait jamais été de sa vie.

Peut-être avait-il moins parlé qu'il l'imaginait ? En tout cas, il croyait le faire, d'une voix lente et pâteuse, la langue trop grosse et sans souplesse dans sa bouche.

— *Un frère ! Tu ne peux pas comprendre ça !*

Pourquoi, quand il avait bu, se figurait-il invariablement que personne ne pouvait le comprendre ? Etait-ce parce qu'alors des choses enfouies au fond de lui, qu'il ignorait lui-même, ou qu'il voulait ignorer dans le cours de la vie de tous les jours, remontaient à la surface et qu'il en était surpris et effrayé ?

Il préférait penser que non. Ce n'était pas possible. Il avait parlé de Nancy. Il avait beaucoup pensé à elle, non pas comme un mari ou un homme qui aime mais un être supérieur à qui rien n'est inconnu des plus petits ressorts humains.

— *Elle a la vie qu'elle a voulu, qu'elle a décidé d'avoir. Peu importe si, moi...*

Il hésitait à entrer dans la cafétéria où on allait encore le regarder des pieds à la tête. Il y avait un grand comptoir en fer à cheval avec des tabourets fixes, des appareils en métal chromé pour le café et la cuisine. Deux familles étaient attablées près de la baie vitrée, toutes les deux avec des enfants, dont une petite fille de l'âge de Bonnie, et l'air était imprégné d'une odeur d'œufs au bacon.

— C'est pour déjeuner ?

Il s'était assis au comptoir. Les serveuses portaient l'uniforme et le bonnet blanc. Elles étaient trois, jolies et fraîches.

— Donnez-moi d'abord du café.

Il lui fallait téléphoner au camp, mais il n'osait pas le faire tout de suite. En levant les yeux, il fut surpris de voir à l'horloge électrique qu'il était huit heures du matin.

— Elle marche ? questionna-t-il.

Et la jeune fille, qui était de joyeuse humeur, de répliquer :

— Quelle heure croyez-vous qu'il soit ? Vous vous figurez être encore hier au soir ?

Tout le monde avait un aspect si propre ! A cause de l'odeur des œufs et du bacon mêlée à celle du café, il avait une bouffée de leur maison de Scottville, au printemps, quand, le matin, le soleil pénétrait dans la dînette. Ils n'avaient pas de salle à manger. Une cloison à hauteur d'appui séparait la cuisine en deux. C'était plus intime. Les enfants descendaient déjeuner en pyjama, les yeux gonflés de sommeil, et le gamin, à cette heure-là, avait une drôle de tête, comme si ses traits, pendant la nuit, s'étaient effacés. Sa sœur lui disait :

— Tu as l'air d'un Chinois.

— Et toi ?... et toi... et toi tu... commençait le petit bonhomme qui cherchait une réponse cinglante sans la trouver jamais.

C'était propre et clair chez eux aussi. C'était gai. D'où avait-il pu tirer tout ce qu'il avait raconté ou cru raconter à Halligan ?

Pendant ce temps-là, il ne voyait de celui-ci qu'un profil, une cigarette qui pendait de sa lèvre et qu'il remplaçait dès qu'elle touchait à sa fin, comme s'il craignait de s'endormir.

— *Tu es un homme, toi !*

Ce profil-là lui avait paru le plus prestigieux du monde.

94

Feux rouges

— *Tout à l'heure, tu aurais pu me tuer.*

Le plus terrible, c'est qu'il croyait se rappeler qu'à plusieurs reprises une voix dédaigneuse avait laissé tomber :

— *Ta gueule !*

C'est donc qu'il parlait, si laborieusement, si indistinctement que ce fût.

— *Tu aurais pu me laisser au bord de la route. Si tu ne l'as pas fait par crainte que je te dénonce à la police, tu as eu tort. Tu me juges mal. Cela me fait de la peine que tu me juges mal.*

Il était obligé de serrer les dents, à présent, pour ne pas crier de colère, de rage. Tout cela, c'était lui ! Ce n'était pas sorti d'ailleurs que de lui.

— *Je sais bien que je n'en ai pas l'air, mais, moi aussi, au fond, je suis un homme.*

Un homme ! Un homme ! Un homme ! Cela avait été une hantise. Avait-il si peur de ne pas en être un ? Il mélangeait les rails, la grand-route, sa femme qui était partie en autocar.

— *Une bonne leçon que je lui ai donnée.*

Il tournait machinalement la cuiller dans son café trop chaud.

— *Quand je suis sorti du bar et que j'ai vu le billet dans l'auto...*

Sid l'avait regardé et Steve était presque sûr de l'avoir vu sourire. Si c'était vrai, c'était son seul sourire de la nuit.

Il ne devait plus y penser, sinon il serait incapable de téléphoner à Nancy. Il n'avait pas encore décidé de ce qu'il allait lui dire. Est-ce qu'elle le croirait, s'il lui avouait la vérité, en supposant qu'il en ait le courage ? Ce qu'elle ferait sûrement, telle qu'il la connaissait, ce serait téléphoner à la police, ne fût-ce que dans l'espoir de récupérer les effets emportés par Halligan. Elle avait horreur de perdre quelque chose, d'être frustrée d'une façon ou d'une autre et, une fois, elle lui avait fait faire plus de trois miles pour réclamer dans un magasin vingt-cinq cents qu'on lui avait rendus en moins.

Il avait peut-être raconté l'histoire des vingt-cinq cents à Sid. Il ne savait plus, ne voulait pas savoir. Il trempait les lèvres dans le café, et le liquide chaud, dans son estomac, avait un goût atroce et lui faisait remonter de l'acidité à la gorge. Il dut avaler de l'eau glacée, par peur de vomir, et il prit la précaution de regarder où étaient les toilettes pour le cas où il serait forcé de s'y précipiter.

Il savait de quoi il avait besoin, mais ce remède-là lui faisait peur. Un verre de whisky le ragaillardirait instantanément. Le malheur, c'est qu'une heure plus tard, il lui en faudrait un autre, et ainsi de suite.

— Vous avez découvert si vous aviez faim ou non ?

Il s'efforça de sourire aussi.

— C'est non.

Elle avait compris. Le coup d'œil qu'elle lui lançait était goguenard.

— Le café ne passe pas ?

— Mal.

— Si vous avez besoin d'autre chose, il y a un marchand de liqueurs à cent mètres d'ici, derrière le garage. C'est la quatrième fois que je donne l'adresse ce matin et je n'ai pas de pourcentage.

Il n'était pas le seul dans son état le long des routes, bien sûr. Il devait y en avoir des milliers, des dizaines de milliers qui, ce matin, se sentaient mal à l'aise dans leur peau.

Il posa une pièce de monnaie sur le comptoir, sortit, trouva le chemin qui, entre deux rangs de pins, conduisait à un groupe de maisons. Il aurait préféré boire un verre d'alcool dans un bar, sûr qu'il s'en serait tenu là, mais il n'y en avait pas à proximité et il était obligé d'acheter une bouteille.

— Whisky. Un quart de litre, dit-il.

— Scotch ?

Le rye lui laissait un trop mauvais souvenir pour qu'il en touche aujourd'hui.

— Un dollar soixante-quinze.

Il porta la main à la poche gauche de son pantalon et cette main s'immobilisa, son regard aussi, car son portefeuille n'était plus là. Son visage devait avoir changé de couleur, si c'était encore possible. Le marchand questionna :

— Ça ne va pas ?

— Ce n'est rien. Quelque chose que j'ai oublié dans ma voiture.

— Votre argent ?

Son autre main s'enfonça dans la poche de droite et il fut un peu rasséréné. Il avait l'habitude d'y fourrer les billets d'un dollar qu'il gardait en rouleau. Halligan n'avait pas fouillé cette poche-là et Steve compta six billets. Il aurait besoin d'argent pour le garage. Mais, au garage, peut-être accepteraient-ils un chèque ?

Pour boire, il crut devoir s'enfoncer dans le bois et il ne prit que deux gorgées, juste assez pour se remettre d'aplomb. Tout de suite, cela lui fit du bien et il glissa le flacon dans sa poche, essaya à nouveau une cigarette qui ne l'écœura pas. Comme il se retournait, il constata qu'il ne s'était pas trompé tout à l'heure quand il avait cru respirer l'air marin : la mer était là, calme et scintillante, entre les arbres d'un vert sombre, et, dans un renfoncement de sable jaune, éclatait le rouge d'un parasol de plage.

Si on le questionnait, que répondrait-il à la police ?

Des mouettes volaient, dont le ventre blanc brillait dans le bleu du ciel, et il préféra ne pas les regarder, elles lui rappelaient que Bonnie et Dan l'attendaient sur une autre plage à moins de soixante-dix miles de là. Comment leur mère leur avait-elle expliqué son absence ?

Tête basse, il marchait lentement vers le garage. De la police, il n'était pas question maintenant, car il y avait peu de chances qu'elle apprenne qu'il avait véhiculé Sid Halligan dans son auto.

Son tort était de toujours se créer des problèmes. L'explication de la valise et des effets volés était facile.

De toute façon, il serait forcé d'admettre qu'il avait bu. Nancy le savait déjà. Dans deux ou trois bars du bord de la route, il ne préciserait pas lesquels. Et, en sortant de l'un d'eux, il avait constaté que la valise et la roue de secours avaient disparu.

Voilà ! Ce n'était pas bien beau. Il n'était pas particulièrement fier de lui. Mais, après tout, il ne se soûlait pas tous les jours comme son ami Dick, que Nancy n'en considérait pas moins comme un homme intéressant et même comme un homme supérieur.

Quant au fait de téléphoner si tard, il expliquerait que, là où il s'était trouvé immobilisé par une panne, la ligne avait été endommagée par l'orage et que les communications venaient seulement d'être rétablies. Cela arrive tout le temps.

Il était presque joyeux de son arrangement. Il fallait voir les faits en face. Tout le monde, autant dire chaque jour, est obligé d'accepter des menues compromissions. De revoir sa voiture dans le garage, sur le cric hydraulique, le rassurait aussi. Un des mécaniciens était occupé à introduire une chambre à air dans le pneu.

— C'est à vous ? lui demanda l'homme, comme il le regardait travailler.

— Oui.

— Vous avez roulé un bout de chemin après la crevaison.

Il préféra ne rien dire.

— Le patron désire vous voir.

Il alla le trouver dans le bureau.

— On a réparé le pneu tant bien que mal. La voiture sera prête dans quelques minutes, si vous y tenez. Cependant, au cas où vous auriez de la route à faire, je vous conseillerais de ne pas partir comme ça. La toile est crevée sur près de vingt centimètres. Il a fallu changer la chambre à air.

Il était sur le point de commander un pneu neuf, avec l'idée de signer un chèque, quand il se rendit compte d'une autre conséquence de la disparition de son portefeuille. Personne, sur la route, n'accepterait de chèque sans s'assurer de son identité. Or, son permis de conduire et tous ses papiers se trouvaient dans son portefeuille. Il ne pouvait pas non plus téléphoner à la banque, puisqu'on était samedi. Jusqu'alors, il avait eu l'impression, peut-être à cause du temps, qu'on était dimanche.

— Je ne vais pas loin, murmura-t-il.

En entrant dans le garage, il s'était promis, après un coup d'œil à l'auto, d'aller manger un morceau. Maintenant que l'alcool lui avait remis l'estomac en place, il avait faim. Cela lui ferait du bien de manger. Il essayait de calculer combien d'argent il lui resterait, combien coûteraient la réparation et la chambre à air neuve.

Et s'il n'avait pas assez ? Si on allait l'empêcher de partir avec sa voiture ?

— Je reviens tout de suite.

— Comme vous voudrez.

Il préférait téléphoner de la cafétéria, car, ici, il ignorait pourquoi, le patron l'impressionnait.

— Œufs au bacon, cette fois ?

— Pas encore. Un café.

Il avait un certain nombre de pièces de monnaie en poche. Dans la cabine, il appela l'opératrice, demanda le 7 à Popham Beach, qui était le numéro des Keane. Cela prit assez longtemps. Il entendait son appel relayé de bureau en bureau et toutes les voix étaient gaies comme si ceux qui travaillaient sentaient aussi que c'était une journée exceptionnelle.

Si sa femme était inquiète à son sujet, elle devait se tenir à proximité du bureau de Gertrud Keane et peut-être serait-ce elle qui décrocherait le récepteur. Tourné vers le mur, il porta la bouteille à ses lèvres pour une seule gorgée de whisky, juste de quoi éclaircir sa voix qu'il avait plus rauque que d'habitude.

— Le camp Walla Walla écoute.

C'était Mrs Keane qui ressemblait tellement à sa voix qu'il croyait la voir à l'autre bout du fil.

— Ici, Steve Hogan, Mrs Keane.

— Comment allez-vous, Mr Steve ? Où êtes-vous ? Nous vous attendions cette nuit comme vous l'aviez annoncé et j'avais laissé la clef sur la porte du bungalow.

Cela lui prit du temps pour découvrir ce que cette phrase-là impliquait et il demanda néanmoins, contenant une panique naissante :

— Ma femme est là ?

— Elle n'est pas avec vous ? Mais non, Mr Steve, elle n'est pas arrivée. Nous avons trois familes qui ont

débarqué ce matin, toutes les trois de Boston.
Tenez ! J'aperçois d'ici votre Bonnie, toute hâlée, les
tresses plus blondes que jamais.

— Dites-moi, Mrs Keane, vous êtes certaine que ma
femme n'est pas au camp ? Elle ne se serait pas arrêtée au camp des garçons ?

— Mon mari était ici il y a quelques minutes et me
l'aurait dit. Où êtes-vous ?

Il n'osa pas avouer qu'il l'ignorait. Il n'avait pas
pensé à demander le nom du village le plus proche.

— Je suis sur la route, à environ soixante-dix miles.
Est-ce que vous savez à quelle heure le car arrive à
Hampton ?

— Le Greyhound de nuit ?

— Oui.

— Il passe à quatre heures du matin. Vous ne voulez
pas dire que votre femme… ?

— Un instant. En supposant qu'elle soit arrivée à
Hampton à quatre heures, aurait-elle trouvé un moyen
de transport pour se rendre chez vous ?

— Certainement. Un bus local assure le service et
passe ici à cinq heures et demie.

Il ne se rendit pas compte qu'il tirait un mouchoir
sale de sa poche pour s'éponger le front et le visage.

— Vous connaissez les hôtels de Hampton ?

— Il n'y en a que deux, l'Hôtel du Maine et l'Ambassador. J'espère qu'il ne lui est rien arrivé. Voulez-vous
que j'appelle Bonnie ?

— Pas maintenant.

— Qu'est-ce que je dois lui dire ? Elle me regarde à travers la fenêtre. Elle se doute que c'est vous qui parlez.

— Dites-lui que nous avons eu une panne et que nous serons en retard.

— Et si votre femme arrive ?

— Dites-lui que je l'ai appelée, que tout va bien, que je téléphonerai à nouveau un peu plus tard.

Ses mains tremblaient, ses genoux aussi. Il appelait à nouveau l'opératrice.

— L'Hôtel du Maine, à Hampton, s'il vous plaît.

Une voix dit après quelques instants :

— Mettez trente cents dans l'appareil.

Il entendit tomber les pièces.

— L'Hôtel du Maine écoute.

— Je désirerais savoir si Mrs Nancy Hogan s'est enregistrée chez vous cette nuit ?

Il dut répéter le nom, l'épeler, attendre un temps qui lui parut interminable.

— Cette personne serait arrivée hier au soir ?

— Non. Cette nuit à quatre heures, par le Greyhound.

— Pardon. Nous n'avons aucun voyageur venu par le car.

L'imbécile ! Comme si son hôtel était d'une classe telle que...

Il sacrifia trente autres cents pour appeler l'Ambassador où on n'avait enregistré personne du nom de Hogan et où le dernier voyageur était arrivé à minuit et demi.

— Vous n'avez pas entendu dire que le Greyhound de nuit ait eu un accident ?

— Certainement pas. On en aurait parlé et ce serait sur le journal de ce matin. Je viens juste de le lire. Sans compter que le dépôt est en face et que...

Il avait besoin de sortir de la cabine dans laquelle il étouffait. Même le sourire que lui adressait la serveuse lui faisait mal. Elle ne pouvait pas savoir. Elle se moquait gentiment de lui.

— Décidé, cette fois ?

Comment apprendre ce qui était arrivé à Nancy ? Il fixait sa tasse de café inconsciemment et, à cette minute-là, il aimait sa femme comme jamais il ne l'avait aimée, il aurait donné un bras, une jambe, dix ans de sa vie, pour qu'elle fût là, pour lui demander pardon, la supplier de sourire, d'être heureuse, lui promettre que désormais elle serait heureuse tous les jours.

Elle était partie, seule, dans la nuit, avec juste son sac à la main, vers les lumières du carrefour, et il croyait se souvenir qu'à cette heure-là il pleuvait, il l'imaginait pataugeant dans la boue et recevant les éclaboussures des autos qui déferlaient sur la grand-route.

Est-ce qu'elle pleurait ? Est-ce que le fait qu'il avait éprouvé le besoin d'aller boire la rendait si malheureuse ? Il n'avait aucune mauvaise intention en retirant la clef de contact. Ce n'était qu'une réponse du tac au

104

tac, presque une plaisanterie, parce qu'elle l'avait menacé de partir avec la voiture.

L'aurait-elle fait, elle ?

Il savait qu'elle était sensible, malgré les apparences, mais il ne voulait pas toujours l'admettre, surtout quand il avait bu un verre.

— *A ces moments-là, tu me détestes, n'est-ce pas ?*

Il lui avait juré que non, que ce n'était qu'une sorte de révolte passagère, enfantine.

— *Non ! Je le sais bien ! Je vois tes yeux. Tu me regardes comme si tu regrettais d'avoir lié ta vie à la mienne.*

C'était faux ! Il fallait la retrouver coûte que coûte, savoir ce qui lui était arrivé. Il se demandait anxieusement où s'adresser, ayant toujours en tête, sans raison définie, qu'elle était arrivée à Hampton. Que lui importait que la serveuse le regarde avec surprise ?

— Donnez-moi la monnaie d'un dollar.

Il expliqua pourtant :

— Pour le téléphone...

Et, à croire qu'elle avait le don de divination, elle plaisantait :

— Vous avez perdu quelqu'un ?

Ce mot-là faillit le faire pleurer bêtement devant elle. Elle dut s'en apercevoir car, sur un autre ton, elle s'empressa d'ajouter :

— Pardon !

La téléphoniste reconnaissait déjà sa voix.

— Quel numéro voulez-vous, cette fois ?

— La police de Hampton, dans le Maine.

— La police du comté ou la police de la ville ?

— De la ville.

— Trente cents !

Il se souviendrait du bruit des pièces tombant une à une dans l'appareil.

— Police écoute.

— Je désire savoir s'il n'est rien arrivé à ma femme qui aurait dû arriver cette nuit à Hampton par le Greyhound.

— Quel nom ?

— Hogan. Nancy Hogan.

— Age ?

— Trente-quatre ans.

Cela le surprenait toujours qu'elle ait deux ans de plus que lui.

— Signalement ?

Il fut sûr d'un malheur. Si on lui demandait l'âge et le signalement de Nancy, c'est qu'ils avaient ramassé un corps et tenaient à savoir, avant de lui en parler, s'il s'agissait bien d'elle.

— Taille moyenne, cheveux châtain clair, vêtue d'un tailleur vert amande et...

— Nous n'avons rien de pareil.

— Vous êtes sûr ?

— Tout ce qu'il y a au poste, c'est une vieille femme, ivre à ne pas tenir debout, qui prétend qu'un inconnu l'a battue et...

— Personne n'a été conduit à l'hôpital ?

— Un instant.

Il résista à la tentation de boire une gorgée d'alcool. Stupidement, c'était le fait qu'il avait la police au bout du fil qui le retint.

— Un accident d'auto, le mari et la femme. Le mari est mort. Ce n'est pas ce nom-là.

— Rien d'autre ?

— Seulement un cas urgent d'appendicite. Une petite fille. Elle est d'ici. Si cela se passait en dehors de la ville, vous feriez mieux de téléphoner au shérif.

— Je vous remercie.

— A votre service.

La téléphoniste ne cacha pas qu'elle avait entendu la conversation.

— Voulez-vous le shérif ?

Et, comme il grommelait un vague « oui » :

— Trente cents !

Le shérif n'avait pas entendu parler de Nancy non plus. Le Greyhound était arrivé sans incident à l'heure régulière et était reparti dix minutes plus tard.

En appelant le dépôt des cars, il finit par apprendre qu'aucune femme n'était descendue à Hampton cette nuit-là et s'il but une gorgée cette fois, tourné vers le fond de la cabine, après s'être assuré que la serveuse ne le regardait pas, c'était réellement dans l'espoir d'arrêter le tremblement de ses mains et de ses genoux. Il lui arriva d'appeler à mi-voix avant de sortir, parce que personne ne pouvait l'entendre :

— Nancy !

Il ne savait plus que faire. Si seulement il avait connu le nom de l'endroit où sa femme l'avait quitté ! Il revoyait le bar, et surtout l'ivrogne blond qui lui ressemblait et qu'il avait appelé un frère. N'était-il pas possible de ne pas se rappeler ces choses-là dans un moment pareil ! Il revoyait aussi le bout de route jusqu'au carrefour, avec un terrain vague dans lequel il avait cru distinguer la masse d'une usine, et, avec plus de netteté, près de la cafétéria, dans une sorte de Main Street de village, un lit recouvert de satin bleu au milieu d'une vitrine.

C'était quelque part avant d'arriver à Providence, mais, à cause des détours qu'il avait faits ensuite, il était incapable de dire si c'était à vingt ou à cinquante miles. Il ne s'occupait pas des poteaux indicateurs, à cette heure-là ! L'univers n'était qu'un interminable highway où quarante-cinq millions d'automobilistes fonçaient à toute allure devant les lumières rouges et bleues des bars. C'était sa nuit ! beuglait-il avec conviction.

— Mauvaise nouvelle ?

Il était venu se rasseoir à sa place et il leva vers la serveuse un regard d'enfant perdu. Elle ne souriait plus. Il la devinait compatissante. Il murmura, gêné de se confier à une gamine qu'il ne connaissait pas :

— Ma femme.

— Un accident ?

— Je l'ignore. J'essaye de savoir. Personne ne peut me répondre.

— Où est-ce arrivé ?

— Je ne sais pas non plus. Je ne sais même pas ce qui est arrivé. Nous sommes partis de New York, hier au soir, joyeux, pour aller chercher les deux enfants dans le Maine. Quelque part, pour une raison ou pour une autre, ma femme a décidé de prendre le bus.

Parce qu'il tenait la tête baissée, il ne remarqua pas qu'elle l'observait avec plus d'attention.

— Vous l'avez vue monter dans le bus ?

— Non. J'étais dans un bar, à cinq cents mètres d'un carrefour.

Il n'avait plus de respect humain. Il fallait qu'il parle à quelqu'un.

— Vous ne vous rappelez pas le nom de l'endroit ?

— Non.

Elle comprenait pourquoi, mais cela lui était égal. Il se serait publiquement confessé au beau milieu de la route si on le lui avait demandé.

— C'était dans le Connecticut ?

— Avant d'arriver à Providence, en tout cas. Je crois que je haïrai cette ville-là toute ma vie. J'ai passé des heures à tourner autour.

— Vers quel moment de la nuit ?

Il fit un geste d'impuissance.

— Votre femme a les cheveux châtain clair et porte un tailleur vert avec des souliers de daim assortis ?

Il releva si vivement la tête qu'il en eut une douleur à la nuque.

— Comment le savez-vous ?

Derrière le comptoir, elle avait saisi un journal local et, en tendant le bras pour le prendre, il renversa sa tasse de café qui se brisa sur le sol.

— Ce n'est rien.

Et, tout de suite, pour le rassurer :

— Elle n'est pas morte. Si c'est bien d'elle qu'on parle, elle est hors de danger.

Le plus étonnant, c'est que, un quart d'heure auparavant, alors qu'il se tenait devant le garage, il avait vu la camionnette qui apportait les journaux de Boston, avait failli en demander un, puis n'y avait plus pensé.

— En dernière page, disait-elle, penchée vers lui. C'est là qu'ils mettent les dernières nouvelles de la nuit.

Il n'y avait que quelques lignes sous le titre :

« *Une inconnue attaquée sur la grand-route.* »

5

« Une jeune femme d'une trentaine d'années, dont l'identité n'a pas été établie, a été trouvée inanimée, cette nuit, vers une heure, au bord de la route 3, à proximité du carrefour de Pennichuck.

» La blessure qu'elle porte à la tête et l'état de ses vêtements font supposer qu'elle a été victime d'une agression. Transportée à l'hôpital de Waterly, elle n'a pas encore pu être interrogée. Son état est satisfaisant.

» Signalement : taille, 1,65 m, teint clair, cheveux châtains. Son tailleur vert pâle et ses souliers en daim d'un vert plus soutenu viennent d'un grand magasin de Fifth Avenue, à New York. On n'a pas retrouvé de sac à main sur les lieux. »

La jeune fille avait été obligée de quitter le comptoir pour servir un couple âgé qui venait de descendre d'une Cadillac découverte. L'homme, qui devait avoir soixante-dix ans, se tenait très droit. Le teint bruni par le grand air, il portait un complet de flanelle blanche avec une cravate d'un bleu tendre et ses cheveux étaient du même blanc soyeux que ceux de sa femme. Tous les deux, calmes, souriants, se comportaient dans la cafétéria avec autant de grâce que dans un salon, apportant une politesse exquise dans leurs rapports avec la serveuse, échangeant entre eux de menues gentillesses. On les imaginait dans une vaste demeure entourée de pelouses impeccables qu'ils venaient de quitter pour aller visiter leurs petits-enfants, et les paquets, sur les coussins de cuir rouge de l'auto, contenaient sûrement des jouets. Ils continuaient, après trente ou trente-cinq ans de vie à deux, à se sourire avec ravissement, à rivaliser de soins.

Steve, le journal sur les genoux, ne se rendait pas compte que c'étaient eux qu'il détaillait en attendant que la serveuse, qui prenait leur commande sur son bloc, revienne vers lui. Il n'avait rien de spécial à lui dire. Il n'avait rien à dire à personne, sinon à Nancy. Il avait seulement besoin qu'on s'occupe de lui, ne fût-ce que par un coup d'œil amical, et son excuse pour attendre la jeune fille était qu'il manquait de menue monnaie pour téléphoner.

Quand elle eut mis le bacon sur la plaque chauffante, il murmura :

— C'est ma femme.

— Je m'en suis doutée.

— Pouvez-vous me faire encore de la monnaie ?

Il tendit deux dollars et elle choisit des pièces de dix cents.

— Buvez d'abord votre café. En voulez-vous du chaud ?

— Merci.

Il le but, pour lui faire plaisir, comme par gratitude, se dirigea dans la cabine et s'y enferma.

L'opératrice, elle, ne savait pas encore et lui lança en reconnaissant sa voix :

— Encore vous ? Vous allez vous ruiner.

— Donnez-moi l'hôpital de Waterly, dans Rhode Island.

— Quelqu'un de malade ?

— Ma femme.

— Je vous demande pardon.

— De rien.

Il l'entendit qui disait :

— Allô, Providence ? Passez-moi l'hôpital de Waterly et dépêchez-vous, ma petite. C'est extrê-mement urgent.

Pendant qu'elle attendait, elle s'adressa à nouveau à lui.

— Elle a eu un accident ? C'est elle que vous comp-tiez trouver dans le Maine ?

— Oui.

— Allô, l'hôpital ? Ne quittez pas.

Il n'avait pas préparé sa phrase. C'était nouveau pour lui et il se tenait gauche.

— Je voudrais parler à Mrs Hogan, mademoiselle. Mrs Nancy Hogan.

Il épela le nom, qu'elle répéta à quelqu'un en ajoutant :

— Tu connais ça, toi ? Je ne la vois pas sur la liste.

— Regarde à la maternité.

Il intervint.

— Non, mademoiselle. Ma femme a été blessée cette nuit sur la route et transportée à votre hôpital.

— Un moment, il doit y avoir erreur.

Il ne comprenait pas que ce soit si difficile d'entrer en contact avec Nancy, maintenant qu'il l'avait retrouvée.

— Il y a certainement erreur, vint-on lui confirmer après un long moment. Depuis hier soir à onze heures, l'hôpital est complet et n'a pu accepter personne. Nous avons même des lits dans les couloirs.

— Le journal dit...

— Attendez. Il est possible qu'elle ait reçu les premiers soins à l'infirmerie et qu'on l'ait ensuite envoyée ailleurs. Un week-end comme celui-ci, on fait ce qu'on peut.

Il entendit au bout du fil, sans doute dans la cour de l'hôpital, la sirène d'une ambulance.

— Je vous conseille d'appeler New London. C'est généralement là que nous envoyons...

Une voix d'homme interpellait la jeune fille, qui laissa sa phrase en suspens. Alors, sûr que l'opératrice écoutait, Steve dit :

— Vous avez entendu ?

— Oui. Ils sont sur les dents. Je vous donne New London ?

— S'il vous plaît. Ce sera long ?

— Je ne crois pas. Voulez-vous mettre quarante cents dans l'appareil ?

Il était soudain si las que, s'il l'avait osé, il aurait prié la serveuse de demander les communications pour lui. Il avait vu passer des ambulances, la nuit précédente, aperçu des blessés qui attendaient des soins au bord de la route, et il n'avait pas pensé aux parents qui, comme lui, avaient dû se heurter, pour savoir, à des difficultés ridicules.

— L'hôpital de New London écoute.

Il répéta son discours, épela le nom deux fois.

— Vous ne savez pas si elle est à la chirurgie ?

— Je l'ignore, mademoiselle. C'est ma femme. Elle a été attaquée sur la route.

Tout à coup, il se rendit compte de sa stupidité. Nancy ne pouvait pas être inscrite sous son nom, puisque le journal annonçait qu'elle n'avait pas été identifiée.

— Attendez ! Son nom n'est pas sur vos listes.

— Sous quel nom est-elle inscrite ?

— Sous aucun. Je viens seulement d'apprendre par le journal ce qui lui est arrivé.

— Quel âge ?

— Trente-quatre ans, mais elle en paraît trente. Le journal dit trente.

Il fallait qu'il rappelle Waterly. On avait cherché à Hogan. Il est vrai qu'on avait ajouté que l'hôpital n'avait accepté personne après onze heures du soir, mais la réceptionniste pouvait se tromper.

— Je regrette. Nous n'avons personne dans son cas. Plusieurs ambulances, la nuit dernière, ont dû être détournées vers d'autres hôpitaux.

Il attendit d'avoir à nouveau l'opératrice.

— Redonnez-moi Waterly.

Elle paraissait gênée de lui rappeler l'argent à mettre dans l'appareil. Il but une gorgée. Ce n'était pas par plaisir, ni par vice. La tête commençait à lui tourner dans la cabine sans air, dont, par pudeur, pour ne pas ennuyer tout le monde avec ses malheurs, il n'osait pas entrouvrir la porte.

Le vieux couple mangeait lentement, sans cesser de parler, et il se demanda ce qu'ils trouvaient à se dire après si longtemps.

— Je m'excuse de vous importuner une fois de plus, mademoiselle, mais je viens de me rendre compte que ma femme n'a pas pu être inscrite sous son nom.

Il expliqua le cas, s'efforçant de mettre les points sur les *i*. Son front ruisselait. Sa chemise sentait la sueur. Allait-il se présenter devant Nancy tel qu'il était, sans même se raser ?

— Non, monsieur. J'ai bien vérifié. Vous avez essayé New London ?

Il raccrocha découragé. Ce fut la serveuse, quand il lui fit part du résultat de ses démarches, qui suggéra :

— Pourquoi ne demandez-vous pas à la police ?

Il lui restait deux billets d'un dollar. Il faudrait bien qu'il paie le garage avec un chèque. Dans son cas, on n'oserait pas refuser.

— J'ai encore besoin de monnaie. Je suis confus.

Il se sentait humble, marchait les épaules rentrées, la tête penchée en avant.

— La police de Pennichuck ?

La voix sonore qui lui répondait emplit la cabine.

— Qu'est-ce que vous voulez ?

Il expliqua encore. C'était la quantième fois ?

— Suis désolé, mon vieux. Ce n'est pas nous. Je suis tout seul ici. J'ai entendu parler de quelque chose comme ça, mais ça s'est passé en dehors des limites de la commune. Voyez le shérif ou la police d'Etat. A mon avis, ce serait plutôt la police d'Etat. Ils ont patrouillé toute la nuit. Vous faites mieux d'appeler le 337 à Limestone.

Il ne cessait, depuis qu'il était en contact avec la police, de revoir le profil de Sid Halligan, avec sa cigarette qui pendait de sa lèvre.

— Oui... Oui... Je suis vaguement au courant... Le lieutenant qui s'en est occupé n'est pas ici... Rentrera dans une heure... Comment ? Vous êtes le mari ?... Donnez-moi toujours votre nom, que j'en prenne note... H comme Hector, O comme... oui... Vous étiez sur les lieux ?... Non ?... Vous ne savez rien ?... Je suppose qu'elle a été transportée à l'hôpital de Waterly... Elle n'y est pas ? Vous êtes sûr ?... Vous avez essayé Lakefield ?... On a eu tellement de travail la nuit dernière qu'on a casé les gens un peu partout...

Après Lakefield, qui ne savait rien, il faillit abandonner, décida de tenter une dernière chance. On venait de lui parler d'un autre hôpital, à Hayward, à peu près dans le même secteur.

Il osait à peine répéter son laïus, qui lui paraissait ridicule.

— Est-ce que c'est vous qui, cette nuit, avez reçu une jeune femme qui a été attaquée sur la route ?

— Qui est-ce qui parle ?

— Son mari. J'ai lu le journal de ce matin et je suis certain que c'est ma femme.

— Où êtes-vous ?

— Dans le New Hampshire. Elle est chez vous ?

— Si c'est bien la personne qui a été blessée à la tête, oui.

— Je peux lui parler ?

— Je regrette, il n'y a le téléphone que dans les chambres privées.

— Je suppose qu'elle n'est pas en état de venir à l'appareil ?

— Attendez. Je demande à l'infirmière d'étage. Je ne crois pas.

Il l'avait retrouvée, enfin ! Cent vingt miles les séparaient, environ, encore, mais au moins savait-il où elle était. Si elle avait été morte, on le lui aurait déjà dit. En tout cas, la réceptionniste aurait été embarrassée. Ce qui le décevait, c'était d'apprendre qu'elle n'était pas dans une chambre privée. Il se figurait six ou sept lits alignés le long d'un mur avec des malades qui gémissaient.

— Allô ! Vous êtes toujours là ?

— Oui.

— Votre femme ne peut pas venir à l'appareil et le docteur a laissé des ordres pour qu'on ne la dérange pas.

— Comment est-elle ?

— Bien, je suppose.

— Elle a repris connaissance ?

— Si vous voulez attendre un instant, je vais vous passer l'infirmière-chef qui désire vous parler.

La nouvelle voix était celle d'une femme déjà vieille, le ton plus sec que celui de la réceptionniste.

— On me dit que vous êtes le mari de notre blessée ?

— Oui, madame. Comment est-elle ?

— Aussi bien que possible. Le médecin l'a encore examinée il y a une heure et a confirmé que le crâne n'est pas fracturé.

— Sa blessure est grave ?

— Elle souffre surtout du choc.

— Elle n'a pas repris connaissance ?

Il y eut un silence, une hésitation.

— Le docteur veut qu'elle se repose et a interdit qu'on l'interroge. Avant de partir, il lui a donné un médicament qui la fera dormir quelques heures. Voulez-vous me donner votre nom ?

Etait-ce la dernière fois qu'il avait à l'épeler ce jour-là ?

— Adresse, numéro de téléphone... La police, qui est venue de bonne heure ce matin, nous a demandé de prendre note de ces renseignements si quelqu'un venait la reconnaître... Le lieutenant passera à nouveau dans le courant de la journée...

— Je pars tout de suite. Au cas où ma femme s'éveillerait, voudriez-vous lui dire que...

Lui dire quoi ? Qu'il venait. Il n'y avait rien d'autre à dire.

— Je compte être là-bas dans trois ou quatre heures. Je ne sais pas. Je n'ai pas consulté la carte.

Il prit une voix presque suppliante pour ajouter :

— Je suppose que vous ne pouvez pas lui donner une chambre privée ? Bien entendu, je paierai ce qu'il faut...

— Mon bon monsieur, soyez bien content que nous lui ayons trouvé un lit.

Il eut des larmes sur les deux joues, tout à coup, sans raison précise, prononça avec une effusion qui ne correspondait à rien :

— Je vous remercie, madame. Soignez-la bien.

Quand il retourna vers le comptoir, la serveuse, sans un mot, posa un plat d'œufs au bacon devant lui. Il la regarda, surpris, indécis.

— Il est nécessaire que vous mangiez.

— Elle est à Hayward.

— Je sais. J'ai entendu.

Il n'avait pas cru parler si fort. D'autres avaient entendu aussi, car on le regardait avec une curiosité sympathique.

— Je me demande si je dois d'abord aller chercher les enfants.

Il mangeait, surpris de se trouver la fourchette à la main.

— Non. Cela prendrait au moins trois heures et je ne veux pas les conduire à l'hôpital. Je ne saurais qu'en faire.

Il devait se procurer de l'argent, car il ne lui restait plus de quoi payer son petit déjeuner et il aurait besoin d'essence.

— Cela ne vous fait rien que je revienne vous payer dans quelques minutes ? Je dois changer un chèque au garage où j'ai laissé ma voiture.

Il se faisait l'effet d'un profiteur. Tout le monde était gentil avec lui parce que sa femme avait été attaquée sur la route et se trouvait à l'hôpital, on lui parlait avec bienveillance et, grâce à l'accident de Nancy, aussi, il n'avait plus d'hésitation à parler du chèque. L'homme au cigare, dans le bureau où les pneus formaient une colonne sombre, le regardait avec plus d'intérêt à mesure qu'il parlait.

— Je dois absolument me rendre à Hayward. J'ai égaré mon portefeuille et je n'ai pas de papiers sur moi. Mais vous trouverez mon nom et mon adresse dans la voiture.

— De combien avez-vous besoin ?

— Je ne sais pas. Vingt dollars ? Quarante ?

— Vous feriez mieux d'emporter une roue de secours et un pneu neuf.

— Ce sera long ?

— Dix minutes. Où m'avez-vous dit que sont vos enfants ?

— Au camp Walla Walla, dans le Maine, chez Mr et Mrs Keane.

— Pourquoi ne leur téléphonez-vous pas ?

Il faillit dire non, comprit que le garagiste avait trouvé ce moyen de s'assurer quand même de son identité et il pénétra dans la cabine dont il laissa la porte ouverte.

— Vous avez changé d'appareil ! s'étonna la téléphoniste.

Ce fut le mari qui, cette fois, au camp, répondit :

— Ici, Steve Hogan.

Il dut écouter tout ce que le vieux boy-scout avait envie de lui raconter, guettant le moment où il pourrait lui couper la parole.

— Je voulais vous dire, Mr Keane... Ma femme a été blessée sur la route. Je l'ai retrouvée. Je pars dans un instant pour Hayward... Non ! Je ne désire pas parler aux enfants maintenant. Ne leur dites rien. Seulement que nous ne viendrons les chercher que dans un jour ou deux... Cela ne vous dérange pas trop ?... Comment ?... Je ne sais pas... Je ne sais rien, Mr Keane... Qu'ils ne soupçonnent pas que leur mère a été blessée...

Pendant qu'il finissait de parler, l'homme au cigare avait tiré des billets de son tiroir et les avait posés sur le bureau après les avoir comptés.

— Faites-le de quarante dollars, dit-il.

Il le regardait avec insistance signer son chèque et Steve, gêné, se demandait s'il conservait des doutes sur son honnêteté. Ce n'est qu'à la porte que le garagiste lui mit la main sur l'épaule.

— Comptez sur moi. Dans dix minutes, votre voiture sera prête.

Ces doigts, durs comme des outils, ne bougeaient pas de l'épaule de Steve.

— Vous ne voyagiez pas avec votre femme, la nuit dernière ?

Pour éviter une longue explication, il répondit que non.

— Mon mécanicien s'étonnait de trouver du linge féminin mêlé aux outils.

Ainsi, depuis qu'ils avaient ouvert le coffre arrière, ils l'observaient avec suspicion. Qu'avaient-ils pensé ? Que s'étaient-ils imaginé qu'il avait fait ? Si la police était passée pendant ce temps-là, ne lui en auraient-ils pas parlé ?

— C'est du linge de ma femme, murmura-t-il sans trouver d'autre explication.

Les voitures étaient de plus en plus nombreuses sur la route et il s'y mêlait, maintenant, des autos de New York. C'était la deuxième vague. Celle des gens qui n'aiment pas voyager la nuit et qui partent de bonne heure le samedi matin. Une troisième vague suivrait, les vendeurs et les vendeuses de magasins qui travaillaient encore ce matin-là et dont le week-end ne commençait que le samedi à midi. *Quarante-cinq millions d'automobilistes...*

La serveuse qui l'avait pris sous sa protection eut une maladresse au moment où il la quittait en la remerciant.

— Ne conduisez pas trop vite. Soyez prudent, lui recommanda-t-elle. Et passez me dire bonjour avec votre femme quand vous irez chercher vos enfants.

Du coup, à cause de sa recommandation, de l'état d'épuisement où il se trouvait, la route, avec le bruit lancinant des milliers de pneus sur l'asphalte, lui faisait peur. Il prit place au volant, dut attendre longtemps avant qu'un trou dans le cortège lui permît de faire un virage et de prendre place dans la file qui descendait vers Boston.

La banquette était vide, à côté de lui. D'habitude, c'était la place de Nancy. Il était rare qu'il conduise sans qu'elle soit là. Contrairement au couple âgé de la Cadillac, ils parlaient peu. Il revoyait le geste de sa femme pour tourner le bouton de la radio dès qu'ils avaient parcouru quelques miles. Les dimanches de printemps et d'automne, quand ils allaient faire une randonnée, les enfants étaient derrière, rarement assis, préférant s'accouder au dossier des sièges avant. C'était sa fille qui se tenait derrière lui et il sentait son souffle sur sa nuque. Elle discourait à perdre haleine, sur tout et sur rien, sur les voitures qui passaient et sur le paysage, affirmative, sûre d'elle, haussant les épaules avec condescendance quand son frère se permettait d'émettre son opinion.

— Vivement le camp ! leur arrivait-il de soupirer, à Nancy et à lui, lorsqu'ils rentraient, étourdis, d'une de ces excursions.

Et, l'été venu, ils ne profitaient pas de leur solitude.

Cela lui paraissait si étrange d'être seul qu'il en ressentait de la honte. En regardant le siège vide, il évoqua Halligan qui l'avait occupé une partie de la nuit et ses doigts se remirent à frémir d'impatience. Il avait besoin d'une gorgée d'alcool s'il voulait conduire à peu près proprement. Même pour sa sécurité, cela valait mieux. Il était si fébrile qu'il craignait sans cesse de donner un coup de volant qui le ferait entrer en collision avec les autos d'une autre file.

Il attendit que personne ne puisse le voir, porta le goulot de la bouteille à sa bouche. Même Nancy aurait compris et approuvé. Le matin, après la nuit où elle avait dû le déshabiller et le mettre au lit, c'était elle qui, alors qu'il se trouvait dans la salle de bains, l'air d'un fantôme plutôt que d'un homme, lui avait apporté un verre d'alcool.

— Quand tu auras bu ça, tu te sentiras plus solide.

Il se jura de n'entrer dans aucun bar, quoi qu'il arrive, de ne pas s'y arrêter pour acheter une nouvelle bouteille.

Malgré sa hâte d'arriver, il ne laissait pas le compteur dépasser cinquante et il s'arrêtait dès qu'un feu tournait au jaune. Il avait craint de se perdre dans la traversée de Boston où c'était d'habitude sa femme qui le dirigeait, mais il traversa la ville comme par miracle et se retrouva sur la bonne route, où il était passé la nuit précédente sans le savoir.

Il était impossible d'éviter Providence. Cela le surprit de voir une ville claire et gaie. Il n'avait pas, ensuite, à reprendre la route de la veille, à revoir les bars où il s'était arrêté, car il descendait directement vers l'entrée de la baie.

Est-ce que le lieutenant dont l'infirmière-chef avait parlé allait le questionner ? Lui demanderait-on compte de ce qu'il avait fait pendant la nuit ? Il faudrait bien qu'il dise pourquoi il n'était pas avec sa femme au moment où celle-ci avait été assaillie. Le plus simple serait d'avouer la vérité, tout au moins en partie, et de parler de leur dispute. Existe-t-il des ménages où n'éclate jamais une dispute de ce genre-là ? Trouve-t-on beaucoup d'hommes à qui il n'arrive pas de boire un verre de trop ?

Le plus extraordinaire, c'est que, quand Nancy avait quitté la voiture, il n'était pas ivre. Selon son expression, il était peut-être dans le tunnel, il avait bu juste assez pour se montrer impatient avec Nancy, mais, si elle n'était pas partie, il ne serait probablement rien arrivé. Ils se seraient chamaillés tout le long de la route. Il se serait plaint qu'elle ne le traite pas en homme, peut-être lui aurait-il reproché, comme d'habitude dans ces cas-là, de préférer les bureaux de Schwartz et Taylor à leur maison.

C'était injuste. Si elle ne s'était pas remise au travail après la naissance des enfants, ils n'auraient pas pu acheter cette maison-là, même payable en douze ans. Ils n'auraient pas eu de voiture non plus. Ils auraient été forcés d'habiter la proche banlieue, car ils ne pouvaient continuer indéfiniment à vivre dans un logement de trois pièces comme ils l'avaient fait les premiers temps.

Tout cela, elle le lui répondait d'une voix calme, un peu plus mate que d'habitude, avec un certain pincement des narines qu'elle n'avait que quand elle disait quelque chose de désagréable.

C'était quand même vrai aussi qu'elle était heureuse dans son bureau, où elle était une personne importante et où elle jouissait de la considération. Par exemple, quand Steve lui téléphonait, la standardiste répondait invariablement :

— *Un instant, Mr Hogan, je vais voir si Mrs Hogan est libre.*

Il arrivait qu'elle ajoutât après avoir manié ses fiches :

— *Voulez-vous rappeler un peu plus tard ? Mrs Hogan est en conférence.*

Avec Mr Schwartz, sans aucun doute. Il ne lui faisait peut-être pas la cour. Il avait une des plus jolies femmes de New York, un ancien modèle qui avait chaque semaine son nom dans les échos des journaux. Malgré le soin exagéré que Schwartz apportait à sa toilette, Steve, qui l'avait rencontré plusieurs fois, le trouvait répugnant.

Il était persuadé qu'il n'y avait rien entre eux. Ce n'en était pas moins comme s'il recevait une gifle chaque fois que Nancy disait :

— *Max me parlait tout à l'heure de...*

S'agissait-il de théâtre, elle tranchait :

— *La pièce ne vaut pas un sou. Max y est allé hier.*

Est-ce qu'il allait recommencer ses jérémiades ? Oubliait-il déjà que Nancy était blessée, sur un lit d'hôpital ? Il n'avait pas osé demander à l'infirmière à quel endroit de la tête elle avait été frappée, ni surtout si elle était défigurée.

Avec l'espoir d'éviter de penser, il tourna la radio, n'y fit pas attention, fut tout un temps avant de se dire que c'était peut-être indécent d'écouter des chansons en se rendant au chevet de sa femme. Cela lui faisait mal au cœur d'avoir laissé les enfants au camp. Il ne prévoyait pas quand il pourrait aller les chercher. Les Keane fermaient le camp pour l'hiver, qu'ils passaient en Floride. On prétendait qu'ils étaient riches et c'était peut-être vrai.

Le premier écriteau annonçant Hayward lui rendit sa fébrilité. Il n'avait plus qu'une quinzaine de miles à parcourir, sur une route encombrée de voitures qui allaient s'embarquer sur le ferry pour des îles. Il profita d'un arrêt, se pencha sous le tableau de bord et finit la bouteille qu'il jeta dans le fossé.

Il serait temps, plus tard, de s'occuper de sa barbe et de s'acheter du linge. Une horloge, au moment où il arrivait en ville, marquait midi et il mit un certain temps à s'échapper de la file des voitures qui le poussaient vers le ferry.

— L'hôpital, s'il vous plaît ?

On lui en indiqua le chemin ; il dut se renseigner une seconde fois. C'était une construction en briques roses, carrée, avec trois étages de fenêtres derrière lesquelles on apercevait des lits. Cinq autos, dans la cour, portaient la plaque spéciale des médecins et on était occupé à sortir avec précaution un brancard d'une ambulance.

Il trouva l'entrée des malades et des visiteurs, se pencha au guichet.

— Steve Hogan, annonça-t-il. C'est moi qui vous ai téléphoné tout à l'heure du New Hampshire au sujet de ma femme.

Elles étaient deux, vêtues de blanc, dont une qui téléphonait tout en lui lançant un coup d'œil curieux. L'autre, boulotte et rousse, murmura :

— Je ne crois pas que vous puissiez monter maintenant. Les visites sont à deux heures et à sept heures.

— Mais...

Est-ce que, dans un cas comme le sien, on s'occupe des heures de visite ?

— L'infirmière-chef m'a dit...

— Un instant. Asseyez-vous.

Six personnes étaient assises dans le hall, dont deux petits nègres qui portaient leur meilleur costume et ne bougeaient pas. Personne ne s'occupait de lui. Il entendait les voix par le guichet. On cherchait à tous les étages un médecin dont il ne distingua pas le nom et, quand on l'eut à l'appareil, on lui demanda de descendre tout de suite à la salle des urgences, sans doute pour la personne que l'ambulance venait d'amener.

Tout était aussi blanc, aussi clair, aussi propre qu'à la cafétéria, avec du soleil qui pénétrait par toutes les baies, des fleurs dans un coin, peut-être dix gerbes et corbeilles, qui attendaient d'être montées dans les chambres.

Les deux petits Noirs, leur casquette sur les genoux, avaient la même expression qu'ils devaient prendre à l'église. Une femme d'un certain âge, près d'eux, regardait fixement par la fenêtre, un homme lisait un magazine aussi calmement que s'il en avait pour des heures à attendre et un autre allumait une cigarette, regardait l'heure à sa montre.

Steve s'étonnait d'être plus calme qu'un quart d'heure plus tôt dans sa voiture. Tout le monde était calme autour de lui. Un vieillard vêtu de la tenue blanche des malades, le corps tordu dans une petite voiture aux roues caoutchoutées qu'il manœuvrait de ses mains maigres, parcourait toute la longueur du couloir pour venir les regarder. Il avait la lèvre inférieure qui pendait, une expression à la fois rusée et enfantine.

Quand il les eut examinés tour à tour, il fit faire demi-tour à sa chaise roulante et regagna sa chambre.

Etait-ce de Steve, cette fois, qu'on parlait au téléphone ? Il n'osait pas le demander, sentant qu'ici tout ce qu'il pouvait dire ne servirait à rien.

— Vous descendez ? Non ? Je le fais monter ?

Celle qui parlait lui jeta un coup d'œil à travers la vitre et, répondant à une question :

— C'est difficile à dire... Comme ci comme ça...

En quoi était-il *comme ci comme ça ?* Cela signifiait-il qu'il ne paraissait pas trop surexcité et qu'on pouvait le laisser monter ?

La jeune fille raccrocha, lui fit signe de s'approcher du guichet.

— Si vous voulez monter au premier étage, l'infirmière-chef va vous voir.

— Je vous remercie.

— Tournez à droite au fond du couloir. Attendez l'ascenseur.

Tout le long du chemin, il vit des portes ouvertes, des hommes, des femmes couchés ou assis dans leur lit, certains installés dans un fauteuil, d'autres avec une jambe dans le plâtre qu'une poulie maintenait en position.

Personne ne paraissait souffrir, ne marquait de contrariété ou d'impatience. Il faillit heurter une jeune femme qui n'avait qu'une chemise en grosse toile sur le corps et qui sortait des toilettes.

Il s'adressa à une infirmière qui passait.

— Pardon, mademoiselle... L'ascenseur, s'il vous plaît ?...

— La deuxième porte. Il ne tardera pas à descendre.

En effet, une lampe, qu'il n'avait pas remarquée, s'éclairait en rouge. Un médecin, en blouse, le calot sur la tête, le masque blanc pendant sur la poitrine, regarda Steve, lui aussi, en passant devant lui.

— Premier étage.

Le vieux aux cheveux tout blancs qui manœuvrait l'ascenseur avait l'air encore plus indifférent que les autres et, à mesure qu'il s'avançait dans l'hôpital, Steve perdait davantage sa personnalité, sa faculté de penser et de réagir. Il se trouvait tout près de Nancy, sous le même toit qu'elle. Dans quelques instants, il allait peut-être la voir et c'est à peine s'il pensait à elle, le vide s'était fait insensiblement en lui, il suivait les instructions qu'on voulait bien lui donner.

Les couloirs du premier étage formaient une croix et, au centre de celle-ci, il vit un long bureau, une infirmière à cheveux gris et à lunettes assise devant un registre, — sur le mur, devant elle, un tableau et des fiches, — près du registre, enfin, des fioles bouchées avec du coton dans un support percé de trous.

— Mr Hogan ? questionna-t-elle après l'avoir laissé une bonne minute debout devant elle sans lever les yeux de ses papiers.

— Oui, madame. Comment va...

— Asseyez-vous.

Elle-même se leva, se dirigea vers un des couloirs et il eut un instant l'illusion qu'elle allait chercher Nancy, mais c'était une autre malade qu'elle allait voir, elle revint un peu plus tard avec une fiole qui portait une étiquette et qu'elle glissa dans un des trous.

— Votre femme n'est pas éveillée. Il est probable qu'elle dormira encore un certain temps.

Pourquoi se croyait-il tenu d'approuver de la tête et de sourire d'un air reconnaissant ?

— Vous pouvez attendre en bas si vous le désirez et je vous appellerai quand il sera possible de la voir.

— Elle a beaucoup souffert ?

— Je ne pense pas. Dès qu'on l'a trouvée, on a fait le nécessaire. Elle paraît avoir une solide constitution.

— Elle n'a jamais été vraiment malade.

— Elle a eu des enfants, n'est-ce pas ?

La question le surprit, la façon dont elle était posée, mais il répondit, comme un élève à l'école :

— Deux.

— Récemment ?

— Notre fille a dix ans et le garçon huit.

— Pas de fausses couches ?

— Non.

Il n'osait même pas prendre la parole. Quelle question, d'ailleurs, aurait-il posée ?

— Vous avez passé la journée d'hier avec elle ?

— Pas la journée. Nous travaillons à New York, chacun de notre côté.

— Mais vous l'avez vue dans la soirée ?

— Nous avons fait une partie de la route ensemble.

— Quand vous la verrez, n'oubliez pas qu'elle a subi une forte commotion. Elle sera encore sous le coup des sédatifs. Evitez de vous énerver et de lui parler de quoi que ce soit qui puisse l'agiter.

— Je vous le promets. Est-ce que… ?

— Est-ce que ?

— Je voulais vous demander si elle a repris connaissance.

— Partiellement, deux fois.

— Elle a parlé ?

— Pas encore. Je croyais vous l'avoir dit au téléphone.

— Je vous demande pardon.

— Maintenant, vous allez descendre. Je viens de faire téléphoner au lieutenant Murray pour lui dire que vous êtes ici. Il voudra sûrement vous voir.

Elle se levait et il était bien obligé d'en faire autant.

— Vous pouvez prendre l'escalier. Par ici.

Toutes les portes, comme en bas, étaient ouvertes, celle de la salle où se trouvait Nancy aussi, vraisemblablement. Il aurait voulu demander la permission de la voir un instant, ne fût-ce que de jeter du corridor un coup d'œil vers son lit.

Il n'osa pas, poussa la porte vitrée qu'on lui désignait, se trouva dans un escalier qu'une femme de ménage était occupée à nettoyer. En bas, il se perdit encore, finit par retrouver le hall d'entrée d'où les deux petits nègres avaient disparu.

Il se dirigea d'abord vers le guichet pour annoncer :

— On m'a dit d'attendre ici.

— Je sais. Le lieutenant arrivera dans quelques minutes.

Il s'assit. Il était le seul dans l'établissement à porter une chemise sale et fripée et à n'être pas rasé. Il regrettait de n'avoir pas fait sa toilette avant d'entrer à l'hôpital où, à présent, il n'était plus maître de ses faits et gestes. Il aurait pu acheter un rasoir, du savon, une brosse à dents, entrer dans un dépôt des autobus, par exemple, où il y a des lavabos à la disposition des voyageurs.

Qu'est-ce que le lieutenant Murray allait penser de lui en le trouvant dans cet état-là ?

Il eut quand même l'audace d'allumer une cigarette, parce que quelqu'un d'autre fumait, puis d'aller boire au distributeur d'eau glacée. Il s'efforçait de prévoir les questions qu'on allait lui poser, de préparer les réponses convenables, mais son esprit restait vague, il fixait, comme la femme près de lui, la fenêtre ouverte sur un arbre, qui se découpait sur le bleu du ciel et dont l'immobilité, dans l'air figé de midi, donnait une impression d'éternité.

Il lui fallait un effort pour prendre conscience de ce qu'il faisait ici, de ce qui était arrivé depuis la veille et même de sa propre personnalité. Etait-il possible qu'il ait deux enfants, dont une fille déjà grande, dans un camp du Maine, une maison de quinze mile dollars dans Long Island et que, mardi matin — après-demain ! — il prenne place derrière le comptoir de la World Travellers pour passer des heures à répondre aux questions des clients tout en maniant deux ou trois téléphones ?

D'ici, cela paraissait invraisemblable, saugrenu. Comme pour rendre l'atmosphère encore plus irréelle, une sirène de bateau déchirait le silence, tout près, et, en regardant par l'autre baie, il découvrait une cheminée noire cerclée de rouge au-dessus des toits, distinguait nettement le jet de vapeur blanche.

Un bateau s'en allait, sur la même mer qu'il avait entrevue le matin entre les pins du New Hampshire, la mer aussi au bord de laquelle Bonnie et Dan jouaient à cette heure-ci en se demandant pourquoi leurs parents ne venaient pas les chercher.

L'infirmière-chef ne paraissait pas inquiète de l'état de Nancy. L'aurait-elle été si celle-ci avait été à la mort ? Combien de gens mouraient par semaine dans l'hôpital ? Est-ce qu'on en parlait ? Disait-on : « La dame du 7 est morte cette nuit » ?

On devait les sortir par une autre porte et les malades ne savaient pas. Le vieux, dans son fauteuil à roulettes, vint faire un petit tour pour voir s'il y avait de nouveaux visages, se montra déçu de n'en pas trouver.

Une auto s'arrêta sur le gravier de l'allée. Steve ne se leva pas pour aller voir. Il n'en avait pas le courage. Il avait sommeil et ses paupières picotaient. Il entendit des pas, fut sûr que c'était pour lui, resta assis à sa place.

Feux rouges

Un lieutenant en uniforme de la police d'Etat, les bottes luisantes, la peau des joues aussi lisse et colorée que celle du vieillard à la Cadillac, entrait à pas rapides, se penchait au guichet derrière lequel la réceptionniste se contentait de le désigner du doigt.

6

Il n'avait pas remarqué, quand il était monté voir l'infirmière, que la première porte à gauche dans le couloir était marquée « Directeur ». Elle était ouverte comme les autres, un homme chauve, sans veston, y travaillait, à qui le lieutenant lança, en familier des lieux :

— Je peux utiliser un moment la salle du conseil ?

Le directeur reconnut la voix et, sans se retourner, se contenta d'un signe de tête. C'était la pièce suivante, où régnait une pénombre dorée car les stores vénitiens, baissés, ne laissaient filtrer, entre leurs lattes, que de minces traits de lumière. Sur les murs d'un ton pastel pendaient des photographies de messieurs âgés et solennels, probablement les fondateurs de l'hôpital. Une longue table, si polie qu'on pouvait s'y voir, occupait le centre, entourée de dix chaises à fond de cuir clair.

Ici aussi, la porte restait ouverte sur le couloir où passait parfois une infirmière ou un malade. Le lieutenant prit place au bout de la table, le dos à la fenêtre, tira un carnet de sa poche, l'ouvrit à une page blanche et régla son portemine.

— Asseyez-vous.

Dans le hall d'attente, il avait à peine regardé Steve à qui il s'était contenté de faire signe de le suivre ; maintenant, il ne montrait pas plus de curiosité, écrivait quelques mots, d'une petite écriture, en tête de la page, regardait l'heure à son poignet et la notait comme si cela avait de l'importance.

C'était un homme d'une quarantaine d'années, bâti en athlète, avec une légère tendance à l'embonpoint. Quand il retira son chapeau à bord raide et le posa sur la table, Steve lui trouva l'air plus jeune, moins impressionnant, à cause de ses cheveux courts, d'un blond roux, aussi frisés qu'une toison d'agneau.

— Hogan, n'est-ce pas ?

— Oui. Stephen Walter Hogan. On m'appelle toujours Steve.

— Né ?

— A Groveton, Vermont. Mon père était représentant en produits chimiques.

C'était ridicule d'ajouter cela. Cela tenait à ce que, chaque fois qu'il disait qu'il était du Vermont, les gens murmuraient :

— Fermier, hein ?

Or, son père n'était pas fermier, ni son grand-père, qui avait été lieutenant-gouverneur. C'était le père de

Nancy qui était fermier dans le Kansas et descendait d'immigrants irlandais.

— Adresse ? poursuivait le policier d'une voix neutre, la tête toujours baissée vers son carnet.

— Scottville, Long Island.

La fenêtre était ouverte et un peu d'air circulait dans la pièce où les deux hommes n'occupaient qu'une infime portion de la table monumentale autour de laquelle huit chaises restaient inoccupées. Malgré la fraîcheur du courant d'air, Steve aurait préféré que la porte soit fermée, mais ce n'était pas à lui de le proposer, cela lui donnait des distractions de suivre les allées et venues du corridor.

— Age ?

— Trente-deux ans. Trente-trois en décembre.

— Profession ?

— Employé à la World Travellers, Madison Avenue.

— Depuis quand ?

— Douze ans.

Il ne voyait pas l'utilité de consigner ces renseignements dans le carnet.

— Vous y êtes entré à dix-neuf ans ?

— Oui. Tout de suite après ma seconde année de collège.

— Je suppose que vous êtes certain que c'est bien votre femme qui a été blessée ? Vous l'avez vue ?

— On ne m'a pas encore permis de la voir. Je suis néanmoins sûr que c'est elle.

— A cause du signalement publié dans les journaux et des vêtements ?

— Et aussi de l'endroit où cela s'est produit.

— Vous y étiez ?

Cette fois, il levait la tête, mais le regard qu'il posait sur Steve, comme sans intention, par mégarde, restait indifférent. Steve n'en rougit pas moins, hésita, avala sa salive avant de balbutier :

— C'est-à-dire que j'avais quitté la voiture pendant un instant en face d'un bar et que...

On l'arrêta du geste.

— Je crois que nous ferions mieux de commencer par le commencement. Depuis combien de temps êtes-vous marié ?

— Onze ans.

— L'âge de votre femme ?

— Trente-quatre ans.

— Elle travaille aussi ?

— Pour la firme Schwartz et Taylor, 625 Fifth Avenue.

Il s'appliquait à répondre correctement, abandonnant peu à peu l'idée que ces questions n'avaient pas d'importance. Le lieutenant n'était pas tellement plus âgé que lui. Il portait une alliance, avait probablement des enfants. Pour tout ce qu'il en savait, ils avaient à peu près le même revenu, le même genre de maison et de vie familiale. Pourquoi ne se sentait-il pas plus à l'aise devant lui ? Il retrouvait depuis quelques minutes sa timidité d'écolier devant ses professeurs, celle qu'il avait eue longtemps en présence de son patron et qu'il n'avait jamais perdue à l'égard de Mr Schwartz.

— Des enfants ?

— Deux, un garçon et une fille.

Il n'attendait plus la question suivante.

— La fille a dix ans, le garçon huit. Tous les deux ont passé l'été au camp Walla Walla, dans le Maine, chez Mr et Mrs Keane, et nous étions en route, hier au soir, pour aller les chercher.

Il aurait apprécié un sourire, un signe d'encouragement. Le lieutenant se contentait d'écrire et Steve ne savait pas ce qu'il écrivait, c'est en vain qu'il avait essayé de lire en travers. Ce n'était pas un homme maussade, ni revêche, ou menaçant. Il y avait des chances pour qu'il soit fatigué, lui aussi, car il avait passé la nuit en patrouille et ne s'était pas couché. Au moins avait-il pu prendre un bain et se raser !

— A quelle heure avez-vous quitté New York ?

— A cinq heures et quelques minutes, mettons cinq heures vingt au plus tard.

— Vous êtes allé chercher votre femme à son bureau ?

— Nous nous sommes retrouvés comme d'habitude dans un bar de la 45e Rue.

— Qu'avez-vous bu ?

— Un Martini. Nous sommes ensuite passés chez nous pour manger un morceau et prendre nos affaires.

— Vous avez encore bu quelque chose ?

— Non.

Il avait hésité à mentir. Il fut obligé, pour se tranquilliser, de se dire qu'il ne déposait pas sous la foi du serment. Il ne comprenait pas pourquoi on l'interrogeait si minutieusement alors qu'il était ici pour reconnaître sa femme qui avait été assaillie sur la route.

Cela augmenta sa gêne de voir surgir dans l'encadrement de la porte le vieillard à la chaise roulante qui le regardait et qui, à cause de sa lèvre pendante et de son visage paralysé, semblait ricaner en silence.

Le lieutenant, lui, n'y fit pas attention.

— Vous avez sans doute emporté des effets pour deux jours ? C'est cela que vous appelez vos affaires ?

— Oui.

Leur entretien avait à peine commencé qu'une question toute simple en apparence le mettait déjà dans une position délicate.

— A quelle heure avez-vous quitté Long Island ?

— Vers sept heures ou sept heures et demie. Au début, nous avons dû rouler très lentement, à cause de l'encombrement.

— Dans quels termes êtes-vous avec votre femme ?

— En excellents termes.

Il n'avait pas osé répondre, à cause du carnet où on paraissait consigner ses réponses :

— Nous nous aimons.

Pourtant, c'était la vérité.

— Où vous êtes-vous arrêtés pour la première fois ?

Il ne se débattit même pas.

— Je ne sais pas au juste. C'était presque tout de suite après le Merrit Parkway. Je ne me souviens pas du nom de l'endroit.

— Votre femme vous a suivi ?

— Elle est restée dans l'auto.

En dehors de Sid Halligan, il n'avait rien à cacher, et ce qui s'était passé avec Sid n'avait rien à voir avec sa femme, puisqu'il l'avait rencontré longtemps après l'agression.

— Qu'est-ce que vous avez bu ?

— Un rye.

— C'est tout ?

— Oui.

— Double ?

— Oui.

— A quel moment avez-vous commencé à vous disputer ?

— Nous ne nous sommes pas disputés à proprement parler. Je savais que Nancy n'était pas contente que je me sois arrêté pour prendre un verre.

Tout était si calme et silencieux autour d'eux qu'ils semblaient vivre dans un monde irréel où rien d'autre ne comptait plus que les faits et gestes d'un certain Steve Hogan. La salle du conseil, avec sa longue table, devenait un tribunal étrange où il n'y aurait pas eu d'accusateur, pas de juge, seulement un fonctionnaire qui enregistrait ses paroles et sept messieurs morts depuis longtemps, sur les murs, qui représentaient l'éternité.

Il ne se révoltait pas. Pas un instant la tentation lui vint de se lever et de déclarer que tout ceci ne regardait personne, qu'il était un citoyen libre et que c'était plutôt à lui de réclamer des comptes à la police pour avoir laissé un inconnu attaquer sa femme sur la route.

Au contraire, il s'efforçait de s'expliquer.

— Dans ces cas-là, je suis facilement de mauvaise humeur, moi aussi, et j'ai tendance à lui adresser des reproches. Je suppose qu'il en est de même dans tous les ménages.

Murray ne souriait pas, n'approuvait pas, écrivait toujours, indifférent, comme si ce n'était pas à lui d'émettre une opinion.

Une infirmière, que Steve n'avait pas encore vue, s'arrêta devant la porte, frappa contre le chambranle pour attirer leur attention.

— Vous viendrez bientôt voir le blessé, lieutenant ?

— Comment va-t-il ?

— On est en train d'opérer une transfusion. Il a repris connaissance et prétend qu'il peut décrire l'auto qui l'a renversé.

— Demandez au sergent, qui est dans ma voiture, de prendre note de sa déposition et de faire le nécessaire. J'irai le voir ensuite.

Il reprit le fil de l'interrogatoire.

— Dans ce bar où vous vous êtes arrêté...

— Lequel ?

Feux rouges

Il avait parlé trop vite, mais cela ne devait pas avoir beaucoup d'importance, car on y viendrait de toute façon.

— Le premier. Il ne vous est pas arrivé de lier connaissance avec un de vos voisins de comptoir ?

— Pas dans celui-là, non.

Il était humilié d'avance de ce qui suivrait fatalement. Toutes ses démarches, qui paraissaient si banales et innocentes, la veille, alors qu'ils étaient peut-être un million ou deux d'Américains à boire le long des grand-routes, prenaient à présent un caractère différent, même à ses propres yeux ; et il passa la main sur ses joues comme si la barbe qui les envahissait était un signe de sa faute.

— Votre femme a menacé de vous quitter ?

Il ne comprit pas immédiatement la portée de cette question-là. Le lieutenant se rendait-il compte qu'il ne s'était pas couché et qu'il arrivait à un degré de fatigue où il lui fallait un grand effort pour comprendre le sens des mots ?

— Seulement quand j'ai voulu m'arrêter la seconde fois, dit-il.

— Elle vous avait déjà fait cette menace auparavant ?

— Je ne m'en souviens pas.

— Elle a parlé de divorce ?

Il regarda son interlocuteur avec une soudaine colère, fronça les sourcils, frappa du poing sur la table.

147

— Mais il n'a jamais été question de ça ! Qu'est-ce que vous allez chercher ? J'ai pris un verre de trop. J'avais envie d'en prendre un autre. Nous avons échangé quelques phrases plus ou moins amères. Ma femme m'a prévenu que, si je descendais encore de l'auto pour entrer dans un bar, elle continuerait la route sans moi...

Sa colère se transformait peu à peu en une stupeur douloureuse.

— Vous avez vraiment cru qu'elle voulait me quitter pour de bon ? Mais alors...

Cela lui ouvrait de tels horizons qu'il n'existait pas de mots pour exprimer ce qu'il ressentait. C'était pis que tout ce qu'il avait imaginé. Si le lieutenant notait si soigneusement ses réponses, s'il gardait un visage impassible, sans lui accorder la considération qu'on a pour n'importe quel mari dont la femme vient d'être grièvement blessée, c'est parce qu'il se figurait que c'était lui qui...

Il en oublia la porte ouverte, éleva la voix, sans indignation, pourtant, trop écrasé par la stupeur pour s'indigner encore.

— Vous avez réellement pensé ça ! Mais, lieutenant, regardez-moi, je vous en prie, regardez-moi bien en face, et dites-moi si j'ai l'air de...

Il en avait l'air, justement, de n'importe quoi, y compris de ce qu'il pensait, avec ses yeux comme liquides, ses paupières gonflées, sa barbe de deux jours et sa chemise sale. Son haleine empestait le whisky,

ses doigts, dès qu'il leur manquait l'appui de la table, se
mettaient à trembler.

— Interrogez Nancy. Elle vous dira que jamais...

Il dut s'interrompre pour répéter, parce que cela
l'étouffait :

— Vous avez pensé ça !

Après quoi il se laissa retomber sur sa chaise, rési-
gné, sans plus d'énergie ni de goût pour se défendre.
Qu'ils fassent de lui ce qu'ils voudraient ! Tout à
l'heure, d'ailleurs, Nancy leur dirait...

Et voilà qu'une autre pensée l'envahissait, hideuse,
grandissait, éclipsait les autres. Si Nancy allait ne pas
reprendre connaissance ?

Presque hagard, il regardait le lieutenant qui donnait
un tour à son portemine et qui disait posément :

— Pour une raison que vous apprendrez tout à
l'heure, nous savons, depuis dix heures, ce matin, que
vous n'avez pas attaqué votre femme.

— Et jusqu'à dix heures ?

— Notre métier est d'examiner toutes les possibi-
lités sans en écarter aucune *a priori*. Calmez-vous,
Mr Hogan. Il n'a jamais été dans mes intentions de
vous inquiéter par des questions insidieuses. C'est
vous-même qui bondissez vers des conclusions toutes
personnelles. Il n'en aurait pas moins été possible, si
des disputes comme celle de cette nuit avaient été
fréquentes, que votre femme ait envisagé le divorce.
C'est tout ce que j'ai voulu dire.

— Cela ne nous arrive pas une fois par an. Je ne suis pas un ivrogne, pas même ce qu'on appelle un buveur. Je...

Cette fois, parce qu'un enfant s'était arrêté dans le cadre de la porte et les écoutait, le lieutenant alla la fermer. Quand il revint, Steve, qui pensait à ce qui avait pu se passer à dix heures ce matin-là, demanda :

— On a arrêté son agresseur ?

— Nous y viendrons dans un moment. Pourquoi, lorsque vous vous êtes arrêté devant le second bar, votre femme n'a-t-elle pas continué sa route en auto comme elle vous en avait menacé ?

— Parce que j'ai mis la clef de contact dans ma poche.

Allait-on comprendre enfin que c'était tout simple ?

— Je pensais lui donner une leçon, persuadé qu'elle le méritait, parce qu'elle a souvent trop d'assurance. Après deux verres, surtout de rye, qui ne me réussit pas, on voit les choses sous un autre jour.

Il plaidait sans conviction, ne croyant plus à ce qu'il disait. Qu'allait-on encore lui demander ? Il s'était figuré que le seul point embarrassant concernait Halligan et, jusqu'ici, on n'avait pas parlé de lui.

— Vous savez quelle heure il était quand vous êtes descendu de voiture ?

— Non. L'horloge du tableau de bord ne marche plus depuis longtemps.

— Votre femme ne vous a pas déclaré qu'elle partirait quand même ?

Il dut faire un effort. Il ne savait plus où il en était.

— Non. Je ne crois pas.

— Vous n'en êtes pas sûr ?

— Non. Attendez. Il me semble que, si elle m'avait parlé du bus, je l'aurais crue capable de le prendre et que je ne l'aurais pas laissée faire. J'en suis certain, maintenant. Ce n'est qu'en apercevant, plus tard, les lumières du carrefour, que j'ai pensé à la possibilité de l'autocar. Tenez ! Je me souviens qu'en ne la retrouvant pas dans l'auto je me suis mis à l'appeler dans l'obscurité du parking.

Il ne se souvenait pas du billet que Nancy avait laissé sur le siège.

— Vous avez remarqué les autres voitures ?

— Un instant.

Il voulait montrer de la bonne volonté, aider la police dans la mesure de ses moyens.

— Il m'a semblé qu'il y avait surtout de vieilles bagnoles et des camionnettes. A moins que ce ne soit pas à ce bar-là.

— Le bar s'appelle Armando's ?

— C'est possible. Le nom me dit quelque chose.

— Vous le reconnaîtriez ?

— Probablement. Il y avait une télévision à droite du comptoir.

Il préféra ne pas parler de la petite fille à la tablette de chocolat dans le placard.

— Continuez.

— Il y avait beaucoup de monde, des hommes et des femmes. Je revois un couple qui restait immobile et ne disait rien.

— Vous n'avez remarqué personne en particulier ?

— ... Non.

— Vous avez parlé à quelqu'un ?

— Un voisin m'a offert un verre. J'allais refuser quand le patron m'a fait signe d'accepter, sans doute parce que l'homme, qui était déjà lancé, aurait insisté et, peut-être, causé du scandale. Vous savez comment ça va.

— Vous avez rendu la politesse ?

— Je crois. Oui. C'est probable.

— Vous lui avez parlé de votre femme ?

— Ce n'est pas impossible. Plutôt des femmes en général.

— Vous ne lui avez pas raconté l'histoire de la clef ?

Il était épuisé. Il ne savait plus. Avec la meilleure volonté du monde, il commençait à tout embrouiller, confondant sa conversation avec le blond aux yeux bleus et ses discours à Halligan. Même les bars se surimposaient dans sa mémoire. Il avait mal à la tête, mal aux arcades sourcilières. Sa chemise lui collait à la peau et il avait conscience de sentir mauvais.

— Vous n'avez pas remarqué si cet homme sortait avant vous ?

— Je suis certain que non. Je suis parti le premier.

— Vous n'avez aucun doute ?

Il en arriverait au point de n'être plus sûr de rien.

— Je jurerais que je suis parti le premier. Je me revois en train de payer, de marcher vers la porte. Je me suis retourné. Oui. Il était encore là.

— Et votre femme, elle n'était plus dans la voiture ?

— C'est exact.

On frappa à la porte. C'était un sergent en uniforme, qui fit comprendre à son chef qu'il désirait lui parler. Il ne laissait voir qu'une de ses mains, comme si l'autre tenait quelque chose qu'il ne voulait pas montrer à Steve.

Le lieutenant se leva pour le rejoindre et ils échangèrent quelques mots à voix basse derrière la porte. Quand Murray revint, seul, il jeta sur la table une poignée de vêtements et de linge, sans rien dire, les effets de Nancy qu'ils avaient trouvés dans le coffre de la voiture.

On le soupçonnait donc de quelque chose, puisqu'on avait fouillé l'auto arrêtée dans la cour de l'hôpital.

Le policier reprenait sa place au bout de la table, évitant toute allusion à ce qui venait de se passer.

— Nous en étions, disait-il avec la même indifférence, au moment où vous sortiez de chez Armando et où vous constatiez que votre femme avait disparu.

— Je l'ai appelée, persuadé qu'elle faisait les cent pas pour se dégourdir les jambes.

— Il pleuvait ?

— Non... Oui...

— Vous n'avez aperçu personne à proximité du parking ?

— Personne.

— Vous êtes parti tout de suite ?

— Quand j'ai constaté qu'il y avait un carrefour non loin de là et que je me suis rappelé la menace de Nancy, j'ai pensé au bus. Nous avions croisé un Greyhound au début de la soirée. C'est sans doute ce qui m'a donné l'idée. J'ai roulé lentement, en regardant sur le côté droit de la route, espérant que j'allais la rattraper.

— Vous ne l'avez pas vue ?

— Je n'ai rien vu.

— Combien de temps êtes-vous resté chez Armando ?

— J'ai eu l'impression de rester dix minutes, un quart d'heure au plus.

— Mais cela pourrait être davantage ?

Il adressa un sourire pitoyable à son tortionnaire.

— Au point où j'en suis... murmura-t-il avec amertume.

C'est à peine s'il savait encore qu'il avait retrouvé Nancy, qu'elle était à deux pas de lui, qu'il ne tarderait pas à la voir, à lui parler, peut-être à la serrer dans ses bras. Etait-il sûr qu'on le laisserait faire ?

Le plus curieux, c'est qu'il ne leur en voulait pas, qu'il ne se révoltait plus, qu'il se sentait réellement coupable.

Par une cruelle ironie, c'était maintenant que lui revenaient des bribes du discours qu'il avait tenu à Sid Halligan d'une voix pâteuse. C'était parti des rails, évidemment, des rails et de la grand-route, et il en était arrivé aux gens qui ont peur de la vie parce qu'ils ne sont pas de vrais hommes.

— *Alors, tu comprends, ils créent des règles, qu'ils appellent des lois, et ils appellent péché tout ce qui les effraye chez les autres. Voilà la vérité, mon vieux ! S'ils ne tremblaient pas, s'ils étaient de vrais hommes, ils n'auraient pas besoin de police et de tribunaux, de pasteurs et d'églises, pas besoin de banques, d'assurances sur la vie, d'écoles du dimanche et de feux rouges et verts au coin des rues. Est-ce qu'un type comme toi ne se moque pas de tout ça ? Pourtant, tu es ici, à leur faire la nique. Ils sont des centaines à te chercher le long des routes et à bêler ton nom à chaque émission de radio, et, toi, qu'est-ce que tu fais ? Tu conduis tranquillement ma bagnole en fumant ta cigarette et tu leur dis merde !*

Cela avait été plus long, confus, et il se souvenait qu'il quêtait l'approbation de son compagnon, un mot seulement, un signe, et que Halligan n'avait pas l'air d'écouter. Peut-être lui avait-il lancé, une fois de plus, la cigarette collée à sa lèvre :

— *Ta gueule !*

C'était à Nancy, ce matin, qu'il s'était promis de demander pardon. Or, ce n'était pas seulement à elle qu'il devait des comptes, c'était tout un monde, représenté par le lieutenant aux cheveux roussâtres et frisés, qui avait des droits sur lui.

— Quand j'ai atteint le carrefour, je me suis adressé à la cafétéria qui fait le coin. La femme du comptoir

pourra vous le confirmer. Je lui ai d'abord demandé si
elle avait vu ma femme.

— Je sais.

— Elle vous l'a dit ?

— Oui.

Il n'avait jamais envisagé qu'un jour ses faits et gestes prendraient une telle importance.

— Elle vous a dit aussi que c'est par elle que j'ai
appris que l'autobus venait de passer ?

— C'est exact. Vous êtes remonté dans votre voiture et, selon ses propres termes, vous avez démarré
comme un fou.

Ce fut le seul moment où le lieutenant laissa percer
un léger sourire.

— Je comptais rattraper le bus et la supplier de
venir avec moi.

— Vous l'avez rattrapé ?

— Non.

— A quelle vitesse rouliez-vous ?

— Par moments, j'ai dépassé le soixante-dix. C'est
surprenant que je n'aie pas eu de contravention.

— C'est surtout miraculeux que vous n'ayez pas eu
d'accident.

— Oui, admit-il, tête basse.

— Comment expliquez-vous qu'en roulant à pareille
allure vous n'ayez pu rejoindre un bus qui ne dépassait
pas le cinquante à l'heure ?

— Je me suis trompé de chemin.

— Vous savez où vous êtes allé ?

— Non. Une fois déjà, dans la soirée, alors que ma femme était encore avec moi, j'avais pris une mauvaise route, mais nous étions retombés ensuite sur le highway. Seul, je me suis mis à tourner en rond.

— Sans vous arrêter ?

Qu'allait-il faire ? L'instant qu'il appréhendait depuis qu'il avait ouvert les yeux, seul dans sa voiture, en bordure du bois de pins, était arrivé. Ce matin, il avait décidé de ne rien dire, sans savoir au juste pourquoi. Cela l'humiliait évidemment d'avouer à Nancy ses relations avec Halligan. Il y avait aussi, dans sa décision, le désir d'éviter un long interrogatoire de la police.

Cet interrogatoire, il était en train de le subir, bon gré mal gré, depuis près d'une heure, et il se demandait comment il avait été pris dans l'engrenage, il se revoyait pénétrant à la suite du lieutenant dans la salle à la longue table, l'esprit assez libre pour regarder les photographies des vieux messieurs.

Il s'attendait à une formalité. Tout au début, il en disait plus qu'on ne lui en demandait. Maintenant, il se faisait l'effet d'une bête traquée. Il ne s'agissait plus de Nancy, ni de Halligan, il s'agissait de lui, et il aurait été à peine surpris si on lui avait déclaré que sa vie était en jeu.

Pendant trente-deux ans, bientôt trente-trois, il avait été un honnête homme ; il avait suivi les rails, comme il le proclamait avec tant de véhémence la nuit précédente, bon fils, élève honorable, employé, mari, père de famile, propriétaire d'une maison à Long Island ; il n'avait jamais enfreint aucune loi, jamais comparu devant la justice et, tous les dimanches matin, il se rendait à l'église avec sa famile. Il était un homme heureux. Il ne lui manquait rien.

D'où sortait alors tout ce qu'il déclamait quand il avait bu un verre de trop et qu'il commençait par s'en prendre à Nancy avant de s'en prendre à la société entière ? Il fallait bien que cela jaillisse de quelque part. Le même phénomène se produisait chaque fois, et, chaque fois, sa révolte suivait exactement le même cours.

S'il avait pensé ce qu'il disait, si cela faisait partie de sa personnalité, de son caractère, n'aurait-il pas continué à le penser le lendemain au réveil ?

Or, le lendemain, son premier sentiment était invariablement la honte, accompagnée d'une crainte vague, comme s'il se rendait compte qu'il avait manqué à quelqu'un ou à quelque chose, à Nancy, d'abord, à qui il demandait pardon, mais aussi à la communauté, à une puissance plus vague qui aurait eu des comptes à lui réclamer.

Ces comptes-là, on les lui demandait justement. On ne l'avait pas encore accusé. Le lieutenant ne lui avait adressé aucun reproche, se contentait de poser des questions et de prendre note des réponses, ce qui apparaissait à ses yeux comme encore plus menaçant, et il avait jeté les effets de Nancy sur la table sans y faire une seule allusion.

Feux rouges

Qu'est-ce qui empêchait Steve de tout lui confesser sans attendre d'y être acculé ?

A cette question-là, il n'osait pas répondre. C'était confus, d'ailleurs. Est-ce que, après ce qui s'était passé entre eux la nuit dernière, ce ne serait pas un geste sale, une lâcheté, de trahir Halligan ?

De plus en plus, il était convaincu qu'il s'était fait son complice, et c'était vrai selon la loi. Non seulement il n'avait pas tenté d'empêcher sa fuite, mais il l'avait aidée, et ce n'était pas à cause du revolver braqué sur lui.

Il ne fallait pas perdre de vue qu'à ce moment-là il vivait sa nuit !

Le matin, il avait téléphoné dans les hôtels, dans les hôpitaux, à la police. Avait-il mentionné l'évadé de Sing-Sing ?

Il lui restait quelques secondes pour choisir. Le lieutenant ne le bousculait pas, attendait avec une remarquable patience.

Quelle avait été sa dernière question ?

— *Sans vous arrêter ?*

— Je me suis encore arrêté une fois, dit-il.

— Vous savez où ?

Il resta muet, le regard fixé sur les reflets dorés de la table, avec la certitude que le policier pesait son silence.

— Dans une log cabin.

L'autre insista :

— Où ?

— Un peu avant d'arriver à Providence. Il y a une hostellerie tout à côté.

Pourquoi sentit-il une détente dans l'atmosphère ? En quoi cette réponse pouvait-elle soulager le lieutenant qui le regardait soudain, non plus avec des yeux de fonctionnaire qui suit la routine du métier mais, lui sembla-t-il, avec des yeux d'homme ?

Il en fut ému. Ce matin aussi, on l'avait regardé avec ces yeux-là, mais alors la serveuse de la cafétéria, par exemple, tout comme l'opératrice du téléphone qui s'était intéressée à son sort ne voyaient en lui qu'un homme qui vient d'apprendre une mauvaise nouvelle. Elles ignoraient tout de la nuit qu'il avait passée. Il n'y avait que le garagiste à avoir eu des soupçons.

Au fait, l'homme au cigare ne s'était-il pas décidé à les communiquer à la police ? C'était plausible. Steve ne lui avait fourni aucune explication valable de l'état du coffre arrière où il est inhabituel de trouver du linge de femme pêle-mêle avec les outils. Il ne lui avait pas dit non plus comment ni où il avait perdu son portefeuille et ses papiers.

Tout était possible et il était persuadé à présent que, bien avant qu'ils s'assoient tous les deux au bout de la longue table où huit chaises restaient vides, le lieutenant Murray savait déjà.

Le lieutenant aussi paraissait sensible aux nuances et il lui suffisait de regarder son interlocuteur pour comprendre qu'il ne demandait plus qu'à lâcher le gros morceau.

— Il vous a dit son nom ? questionna-t-il comme s'il était sûr d'être compris.

— Je ne sais plus si c'est lui. Attendez...

Il souriait, maintenant, se moquait presque de son propre trouble.

— J'ai les idées tellement embrouillées !... C'est moi... Oui, je suis à peu près sûr que c'est moi qui ai deviné quand je l'ai trouvé assis dans ma voiture... On venait de parler de lui à la radio...

Il remontait à la surface, avalait une grande gorgée d'air, regardait, dépité, la porte à laquelle on frappait.

— Entrez !

L'infirmière-chef du premier étage s'adressait, non à lui, mais au policier qu'elle aussi semblait bien connaître.

— Le docteur dit qu'il peut monter.

Elle s'approcha du lieutenant, se pencha et lui parla à l'oreille. Son interlocuteur fit non de la tête et elle lui parla à nouveau.

— Ecoutez-moi, Hogan, dit-il enfin. Je n'ai pas eu l'occasion, jusqu'ici, de vous mettre au courant de certains faits. C'est un peu votre faute. J'avais d'abord besoin...

Il fit signe qu'il comprenait. S'il avait parlé tout de suite, il y a longtemps qu'ils en auraient fini et il en arrivait à trouver sa propre obstination ridicule.

— Votre femme est hors de danger. Sur ce point, le médecin est catégorique. Elle n'en reste pas moins en état de choc. Quelle que soit son attitude, quoi qu'elle dise, il est important que vous restiez calme.

Il ne voyait pas au juste ce que cela signifiait et, la gorge serrée, il disait docilement :

— Je promets.

Tout ce qu'il savait, c'est qu'il allait la voir, et il en ressentait comme un courant d'air dans le dos ; il suivait l'infirmière dans le couloir tandis que le lieutenant marchait derrière lui sans faire le moindre bruit avec ses bottes.

Ils ne prirent pas l'ascenseur, mais l'escalier, atteignirent la croix des couloirs. Il aurait été incapable, ensuite, de dire s'ils avaient tourné à droite ou à gauche. On passa devant trois portes ouvertes et il évitait de regarder à l'intérieur, un médecin sortit de la quatrième salle, fit signe à l'infirmière que tout allait bien, jeta un long regard à Steve et serra la main du lieutenant.

— Comment vas-tu, Bill ?

Ces mots-là se gravèrent dans sa mémoire comme s'ils avaient été d'une importance capitale. Ses jambes mollissaient. Il apercevait, à gauche, le long du mur, trois lits, pas six comme il se l'était figuré le matin, une vieille femme qui lisait assise dans le sien, près de la fenêtre, une autre, les cheveux pendant en tresses, qui se tenait sur sa chaise et une troisième qui paraissait dormir et qui respirait difficilement. Aucune n'était Nancy. Celle-ci se trouvait de l'autre côté, où il y avait trois autres lits, dans celui qui lui était resté caché par la porte.

Quand il la vit, il prononça son nom, d'abord dans un souffle ; le répéta plus fort, en essayant de prendre un accent joyeux, pour elle, pour qu'elle ne s'effraie pas. Il ne comprenait pas pourquoi elle le regardait avec une sorte d'épouvante, au point que l'infirmière croyait nécessaire d'aller lui caresser l'épaule en murmurant :

— Il est ici, vous voyez ? Il est heureux de vous retrouver. Tout ira bien !

— Nancy ! appela-t-il sans pouvoir cacher davantage son angoisse.

Il ne reconnaissait pas son regard. Les bandages qui lui entouraient la tête jusqu'aux sourcils et qui cachaient ses oreilles changeaient peut-être l'aspect de son visage. Celui-ci était si blanc qu'il paraissait sans vie et les lèvres, à cause de leur pâleur, lui semblaient différentes. Il ne les avait jamais vues si minces, si serrées, comme des lèvres de vieille femme. Il s'attendait à tout cela, il pouvait, il devait s'y attendre, mais il ne s'attendait pas à ces yeux qui avaient peur de lui et qui se détournaient soudain.

Alors, il fit deux pas, saisit une des mains posées sur le drap.

— Ma petite Nancy, je te demande pardon…

Il fut obligé de se pencher pour entendre ce qu'elle répondait.

— Tais-toi… disait-elle.

— Nancy, je suis ici, tu vas guérir vite, le docteur en est sûr. Tout va bien. Nous…

Pourquoi refusait-elle toujours de le regarder en face et tournait-elle le visage vers le mur ?

— Demain, j'irai chercher les enfants au camp. Ils vont bien, eux aussi. Tu les verras…

— Steve !

Il crut comprendre qu'elle désirait qu'il se penche davantage.

— Oui. J'écoute. Je suis si heureux de te retrouver ! Je m'en suis tellement voulu, vois-tu, de ma stupidité !

— Chut !…

C'était elle qui voulait parler, mais elle devait d'abord reprendre son souffle.

— On t'a dit ? questionna-t-elle alors, tandis qu'il voyait des larmes rouler de ses yeux et que ses dents se serraient au point qu'il les entendit grincer.

L'infirmière lui touchait le bras comme pour lui transmettre un message et il murmura :

— Mais oui. On m'a dit.

— Tu pourras jamais me pardonner ?

— Mais c'est moi, Nancy, qui te demande pardon, c'est moi qui…

— Chut ! répéta-t-elle.

Lentement, elle tournait le visage pour le regarder, mais, comme il se penchait pour l'effleurer de ses lèvres, elle le repoussait tout à coup de ses bras faibles en criant :

— Non ! Non ! Non ! Je ne peux pas !

Il se redressa, ahuri, et le docteur entra dans la salle, se dirigea vers la tête du lit tandis que l'infirmière chuchotait :

— Venez, maintenant. Il vaut mieux la laisser.

7

Cela aurait aussi bien pu se passer sur une autre planète. L'idée de poser une question ne lui venait pas à l'esprit, ni de décider quoi que ce soit, de prendre la moindre initiative, et il n'aurait probablement pas été surpris si quelqu'un avait passé à travers lui comme à travers un fantôme.

Une main sur son épaule, le lieutenant l'entraînait vers une fenêtre au bout du couloir et ils devaient se frayer un chemin à travers un flot de gens qui, comme à un signal, avaient envahi l'étage, des femmes, des hommes, des enfants endimanchés, beaucoup qui portaient des fleurs et des fruits, ou un carton de pâtisserie, et un homme de son âge, avec de petites moustaches brunes et un chapeau de paille, s'efforçait d'atteindre Dieu sait quelle destination avec un cornet de crème glacée dans chaque main.

Steve ne se demandait pas ce qui arrivait, ni par quel tour de passe-passe deux petits nègres qu'il avait vus quelque part, sans se rappeler où, faisaient à nouveau partie de son univers et se tenaient la main par peur de se perdre.

— Il est inutile que j'essaie de l'interroger à présent, avec toutes ces visites, disait le lieutenant qui s'adressait soudain à lui comme s'il avait des comptes à lui rendre ou comme s'il avait besoin de son approbation. De toute façon, il vaut mieux lui donner le temps de se reprendre. J'ai demandé au docteur de lui poser la seule question qui importe présentement.

L'infirmière-chef, à qui tout le monde s'efforçait de parler, ne s'occupait plus d'eux ni de Nancy. Le lieutenant tendait à Steve son paquet de cigarettes, une allumette enflammée.

— Si cela ne vous ennuie pas de m'attendre ici, je vais jeter un coup d'œil à mon blessé. Cela nous gagnera du temps.

Trois minutes ou une heure ne faisaient plus de différence pour Steve. Adossé à la fenêtre, il laissait son regard errer devant lui sans plus d'intérêt que s'il avait vu des poissons s'agiter dans une eau transparente et il ne comprenait pas que les signes d'encouragement que l'infirmière adressait parfois dans sa direction étaient pour lui.

Le docteur sortit de la chambre, jeta un coup d'œil de chaque côté du corridor, parut surpris et se dirigea vers l'infirmière qui lui dit quelques mots et lui désigna l'escalier où il disparut à son tour.

Une jeune femme en tenue d'hôpital se promenait dans le couloir à pas lents, d'une certaine porte à une certaine porte, soutenue d'un côté par son mari, tenant de l'autre main une petite fille, et elle souriait avec extase comme si elle avait entendu une musique céleste. Il y avait du monde partout, qui parlait, entrait et sortait, gesticulait sans raison apparente, et, quand le lieutenant parut enfin près de la porte vitrée au-dessus de l'escalier et fit signe à Steve de le rejoindre, celui-ci se mit en marche à son tour, délivré du souci de lui-même.

— Le docteur pense, comme moi, qu'il est préférable que vous ne la voyiez plus avant ce soir, peut-être demain matin, il vous le dira après la visite qu'il lui fera à sept heures. Si vous voulez m'accompagner, il faut que je me rende à mon bureau mais, auparavant, j'ai un coup de téléphone à donner.

Il s'approcha du téléphone de l'infirmière où, debout, il demanda sa communication, et Steve attendait toujours, sans penser à écouter ce que disait le policier. Il entendit seulement des mots qu'il ne rattacha à rien :

— … comme nous l'avons pensé, oui… Tout à fait formel… Je pars à l'instant…

Steve le suivit dans l'escalier, dans le corridor du rez-de-chaussée, puis encore dans le hall d'entrée et enfin dans le jardin de l'hôpital dont les allées étaient encombrées de voitures.

Le soleil, les bruits, le mouvement de la foule l'étourdissaient. Le monde entier était en effervescence. Il monta machinalement à l'arrière de l'auto de la police tandis que le lieutenant s'asseyait à côté de lui, refermait la portière, ordonnait au sergent qui tenait le volant :

— Au bureau !

Au passage, Steve aperçut sa propre voiture qui n'avait plus son aspect familier, qui n'avait plus l'air de lui appartenir.

Dans toutes les rues qu'on traversait la foule s'agitait, surtout des gens en short, des hommes au torse nu, des enfants en maillot de bain de couleur, partout on mangeait, on suçait des glaces, des voitures klaxonnaient, des filles riaient en renversant la tête en arrière ou en se suspendant au bras de leur compagnon et des haut-parleurs répandaient comme une nappe de musique.

— Vous avez peut-être envie d'acheter une chemise ou deux ?

L'auto s'arrêta devant un magasin où des articles de plage étaient accrochés autour de la porte.

Il fut assez lucide pour commander deux chemises blanches à manches courtes, dire sa taille, empocher la monnaie et remonter dans l'auto où les deux hommes l'attendaient.

— J'ai un rasoir et tout ce qu'il faut au bureau. Vous pourrez y faire un brin de toilette. Si je ne reviens pas avec vous, je vous ferai reconduire par une des voitures. Ce que je crains, c'est qu'il ne vous soit pas facile de trouver une chambre.

Ils sortaient de la ville, et, le long du chemin, il y avait encore des espèces de baraques où l'on servait de la mangeaille et de la crème glacée.

Le lieutenant attendit que la route devînt une vraie route, avec des arbres des deux côtés.

— Vous avez compris ? questionna-t-il, quand il crut le moment venu.

Steve entendit les mots, mais il fallut un certain temps pour qu'ils prennent un sens.

— Compris quoi ? questionna-t-il alors.

— Ce qui est arrivé à votre femme.

Il réfléchit avec effort, secoua la tête, avoua :

— Non.

Il ajouta plus bas :

— On dirait que je lui fais peur.

— C'est moi qui l'ai ramassée au bord de la route la nuit dernière, reprit son compagnon d'une voix plus feutrée. Elle a eu de la chance que des gens de White Plain tombent en panne près de l'endroit où elle était étendue. Ils ont entendu ses gémissements. Je me trouvais à quelques miles de là quand le bureau m'a alerté par radio et je suis arrivé avant l'ambulance.

Pourquoi ne parlait-il pas naturellement ? On aurait dit qu'il ne racontait tout cela que pour gagner du temps. Il y avait un ton faux dans leur conversation. Steve non plus ne pensait pas à ce qu'il disait quand il questionna :

— Elle souffrait beaucoup ?

— Elle n'avait plus sa connaissance. Elle a perdu beaucoup de sang, ce qui explique que vous l'ayez vue si pâle. On lui a donné les premiers soins sur place.

— On lui a fait une piqûre ?

169

— L'infirmier lui en a fait une, oui. Je crois. Ensuite il a fallu trouver un hôpital qui ait un lit libre et nous en avons fait quatre avant de...

— Je sais.

— J'aurais voulu qu'elle soit isolée. Cela a été impossible. Vous avez vu vous-même. C'est désagréable de l'interroger devant les autres malades.

— Oui.

C'étaient les yeux épouvantés de Nancy qu'il continuait à avoir devant lui et il ne posait toujours pas la question, l'auto roulait vite, les autres voitures, à la vue de l'écusson de la police, ralentissaient soudain et on aurait dit un cortège. Comme on passait devant un restaurant, le lieutenant proposa :

— Vous ne désirez pas une tasse de café ?

Il répondit que non. Il n'avait pas le courage de descendre de la voiture.

— Il y en a d'ailleurs au bureau. Voyez-vous, Hogan, si vous avez vu votre femme si effrayée en vous apercevant, c'est qu'elle se croit responsable de ce qui est arrivé.

— C'est moi qui ai emporté la clef. Elle le sait bien.

— Elle est quand même partie, seule, dans l'obscurité, le long de la route.

Steve ne savait pas pourquoi son compagnon l'avait emmené. Il ne se l'était pas demandé. Il était seulement surpris qu'un homme comme Murray lui pose la main sur le genou et, en évitant de le regarder, prononçât d'une voix encore plus neutre :

— Ce n'est pas seulement pour lui voler son sac que l'homme l'a attaquée.

Il se tourna vers lui, le front plissé, le regard intense, et les mots eurent l'air de venir de très loin.

— Vous voulez dire que... ?

— Qu'elle a été violée. C'est ce que le médecin nous a confirmé ce matin à dix heures.

Il ne bougea pas, ne dit plus rien, figé, sans qu'un muscle tressaillît, avec l'image pathétique de Nancy devant ses yeux. Peu importe les paroles que le lieutenant prononçait maintenant. Il avait raison de parler. Il ne fallait pas laisser le silence les submerger.

— Elle s'est défendue courageusement, comme le prouve l'état de ses vêtements et les meurtrissures qu'elle a sur le corps. L'homme, alors, l'a frappée sur la tête avec un objet lourd, un tuyau de plomb, une clef anglaise ou la crosse d'un revolver, et elle a perdu connaissance.

On atteignait un highway que Steve avait déjà vu dans un passé proche ou lointain, on parcourait encore quelques miles et l'auto s'arrêtait devant un bâtiment en brique de la police d'Etat.

— J'ai cru que ce serait plus facile de parler de ça en route. Maintenant, allons dans mon bureau.

Steve n'aurait pas pu parler, marchait comme un somnambule, traversait une pièce où se trouvaient plusieurs hommes en uniforme, franchissait la porte qu'on lui désignait.

— Vous permettez un instant ?

On le laissait seul, peut-être parce que le lieutenant avait des ordres à donner, peut-être par discrétion, mais il ne pleurait pas, si c'était ça qu'on avait pensé qu'il allait faire, il ne s'asseyait pas, n'avançait pas d'un pas, ouvrait seulement la bouche pour prononcer :

— Nancy !

Aucun son ne sortait. Nancy avait eu peur de lui quand il s'était approché d'elle. C'était elle qui avait honte et qui aurait voulu lui demander pardon !

La porte s'ouvrit, le lieutenant entra, deux gobelets de carton pleins de café dans les mains.

— Il est sucré. Je suppose que vous prenez du sucre ?

Ils burent ensemble.

— Si tout va bien, dans une heure ou deux, nous l'aurons.

Il ressortit, laissant cette fois la porte ouverte, revint presque aussitôt avec une carte d'un genre que Steve n'avait jamais vu qu'il étala sur le bureau. Certains carrefours, certains points stratégiques dans le Maine et le New Hampshire, non loin de la frontière cana-dienne, étaient marqués d'un trait rouge.

— A un mile environ de l'endroit où il a été obligé d'abandonner votre voiture et de vous laisser au bord de la route, un chauffeur l'a laissé monter sur son camion et l'a conduit jusqu'à Exeter. De là...

Steve retrouva soudain la voix, questionna dure-ment :

— Qu'est-ce que vous dites ?

criait presque, menaçant, semblait mettre son interlocuteur au défi de répéter ce qu'il venait de dire.

Je dis qu'à Exeter, il a trouvé...

— Qui ?

— Halligan. Pour le moment il est dans un périmètre...

Le lieutenant tendait le bras pour désigner du doigt une portion de la carte et Steve le lui rabattit d'un geste brusque.

— Je ne demande pas où il est. Je veux savoir si c'est lui qui...

— Je pensais que vous l'aviez compris depuis longtemps.

— Vous êtes sûr ?

— Oui. Depuis ce matin, quand j'ai montré sa photographie au barman d'Armando. Il l'a formellement reconnu. Halligan a quitté le bar vers le moment où vous vous y trouviez.

Steve, les poings serrés, les mâchoires dures, regardait toujours fixement le policier comme s'il attendait des preuves.

— Nous avons retrouvé sa trace à la log cabin où il a bu avec vous et où on nous a donné votre signalement ainsi que celui de votre voiture.

— Halligan ! répéta-t-il

— Tout à l'heure, à l'hôpital, pendant que vous attendiez dans le couloir et que j'allais voir mon blessé, le docteur, sur ma prière, a montré à votre femme une photo qu'elle a reconnue, elle aussi.

Le lieutenant ajouta après un temps :

— Vous comprenez, maintenant ?

Comprendre quoi ? Il y avait trop de choses à comprendre pour un seul homme.

— A neuf heures, ce matin, un garagiste a téléphoné à la police d'un petit endroit du New Hampshire et a donné le numéro de votre auto, que nous connaissions déjà par la propriétaire de la log cabin.

L'avait-on suivi à la piste, lui aussi, en marquant sa route de traits de crayon rouge, comme on était en train de le faire pour Sid Halligan ?

— Vous voulez vous raser ? questionnait le lieutenant en ouvrant la porte d'un cabinet de toilette. Un fait est certain. Jusqu'ici, il ne risquait, pour son évasion, que cinq ou dix ans en plus de son terme. Maintenant, c'est la chaise !

Steve claqua la porte et, plié en deux, se mit à vomir. Une âcre odeur d'alcool montait de la cuvette, sa gorge brûlait, il se tenait le ventre à deux mains, les yeux embués, le corps secoué par les hoquets.

Il entendait, à côté, le lieutenant parler au téléphone, puis les pas de deux ou trois hommes, la rumeur d'une sorte de conférence qui se tenait dans le bureau.

Il fut longtemps avant d'être capable de se passer la figure à l'eau fraîche, de l'enduire de crème et de se raser en regardant aussi durement sa propre image qu'il avait regardé le policier. Une terrible colère grondait en lui comme un orage qu'on entend aux quatre

coins du ciel à la fois, une haine douloureuse qui se tra-
duisait par le mot « tuer », non pas tuer avec une arme,
mais tuer avec ses mains, lentement, férocement, en
toute connaissance de cause, sans perdre un seul
regard d'effroi, un soubresaut d'agonie.

Le lieutenant avait dit :

— *Maintenant, c'est la chaise !*

Et cela lui rappelait une voix qui, la nuit dernière,
avait parlé aussi de cette chaise-là, la voix de Halligan
qui disait :

— *Je n'ai pas envie de passer à la chaise.*

Non. Ce n'était pas cela. La scène lui revenait en
mémoire. Steve lui demandait s'il avait tiré. Il lui posait
la question d'une voix tranquille, sans indignation,
avec juste un frémissement de curiosité. Et Sid avait
répondu nonchalamment :

— *Si j'avais tiré, ils m'auraient fait passer à la chaise.*

N'était-ce pas à peu près vers ce temps-là que
Steve avait pensé aux deux jeunes gens qui avaient
commis un hold-up dans Madison Avenue en remar-
quant que, pendant dix ans, ils ne verraient pas une
femme ?

Halligan venait de passer quatre ans à Sing-Sing. Il
n'avait pas voulu faire de mal à la petite fille qu'il avait
enfermée dans le placard avec une tablette de chocolat
pour l'empêcher de crier. Il avait bâillonné, ficelé la
mère afin de pouvoir chercher en paix les économies
du ménage dans les tiroirs. Il n'avait pas encore de
revolver. Il avait aussi besoin des vêtements du mari,

car il portait sa tenue de prisonnier. Plus tard, il avait
volé une arme dans la vitrine d'un magasin. Et, enfin...
Le torse nu, les cheveux humides, il ouvrit la porte.

— J'ai laissé les chemises dans l'auto.

— Les voici ! dit le lieutenant en montrant le paquet
sur le bureau.

Il lui lançait un coup d'œil pour se rendre compte de
son état d'esprit.

— Vous pouvez passer votre chemise ici. Nous
n'avons rien de secret à discuter.

Un sergent lui rendait compte du coup de téléphone
qu'il venait de recevoir.

— On a retrouvé, entre Woodville et Littleton,
sur la 302, la voiture volée à Exeter. Le réservoir
d'essence était vide. Ou bien il croyait en avoir davantage et espérait atteindre la frontière canadienne, ou
bien il n'a pas osé se montrer dans un garage.

Tous les deux se penchaient sur la carte.

— La police du New Hampshire nous tient au courant. Elle a déjà alerté le FBI. Des barrages sont établis
dans toute la région. A cause des bois, qui rendent les
recherches difficiles, ils ont demandé des chiens, qu'ils
attendent d'un moment à l'autre.

— Vous entendez, Hogan !

— Oui.

— J'espère qu'ils le prendront avant la nuit et qu'il
n'aura pas le temps de faire un mauvais coup dans
quelque ferme isolée. Au point où il en est, il n'hésitera

plus à tuer. Il sait qu'il joue le tout pour le tout. Tu peux aller, vieux !

Le sergent sortit.

Le lieutenant restait assis devant la carte. Il avait retiré sa veste d'uniforme, et, les manches de sa chemise roulées au-dessus des coudes, il fumait une pipe dont il ne devait user qu'au bureau et chez lui.

— Asseyez-vous. Aujourd'hui, c'est un peu plus calme. La plupart des gens sont arrivés où ils voulaient aller. Demain, il n'y aura guère que du trafic local, quelques noyades, des rixes dans les dancings. Cela recommencera à barder lundi, quand tout le monde se précipitera vers New York et les grandes villes.

Quarante-cinq millions de...

Il repoussait avec horreur ces mots qui lui rappelaient le mouvement de la voiture, le sucement de toutes les roues sur l'asphalte, les phares, les miles parcourus dans l'obscurité d'une sorte de no man's land et les enseignes au néon qui surgissaient tout à coup.

— Il vous a menacé de son revolver ?

Steve regarda dans les yeux l'homme qui, renversé sur sa chaise, tirait de petites bouffées de sa pipe.

— Quand je suis entré dans la voiture, il y était assis et tenait son arme braquée sur moi, dit-il en choisissant ses mots.

Puis, détachant les syllabes, il ajouta comme par défi :

— Ce n'était pas nécessaire.

Le lieutenant ne tressaillit pas, ne parut pas surpris, posa une autre question.

— A la log cabin... Au fait, l'endroit s'appelle le Blue Moon... Au Blue Moon, dis-je, l'aviez-vous déjà reconnu ?

Il fit non de la tête.

— Je savais que c'était un rôdeur, je le soupçonnais de se cacher. Cela m'excitait.

— C'est vous qui avez conduit tout le temps ?

— Quelque part, nous nous sommes arrêtés à un garage pour faire de l'essence et j'ai obtenu du pompiste un quart de litre de whisky. Je crois que je l'ai vidé en quelques minutes.

Il ajouta un détail qu'on ne lui demandait pas :

— Halligan s'était endormi.

— Ah !

— Nous avons eu une crevaison, ensuite, et c'est lui qui a dû changer la roue, parce que je n'étais plus bon à rien, et je suis resté, affalé sur le talus. Après, je ne sais plus. Il aurait pu m'abandonner ou m'envoyer une balle dans la tête pour m'empêcher de le dénoncer.

— Vous lui aviez dit que vous saviez qui il était ?

— En quittant le Blue Moon.

— Comment vous sentez-vous ?

— J'ai vomi tout ce que j'avais dans l'estomac. Qu'est-ce qui va m'arriver ?

— Je vais vous faire reconduire à Hayward. Il est cinq heures. A sept heures, le docteur examinera à nouveau votre femme et vous dira si vous pouvez la voir ce soir. Je suppose que vous avez l'intention de coucher là-bas ?

Il n'y avait pas pensé. Il n'avait pas réfléchi à la question. C'était la première fois qu'il se trouvait sans un lit pour dormir, avec sa maison vide dans Long Island, ses deux enfants qui l'attendaient dans un camp et sa femme, entourée de cinq autres malades, sur un lit d'hôpital.

— Vous perdriez votre temps en essayant les hôtels et les auberges. Tout est plein à craquer. Mais il y a des particuliers qui, l'été, louent des chambres à la nuit. Vous avez peut-être une chance.

Le lieutenant n'insistait pas sur ses relations avec Halligan, n'y faisait plus allusion, et cela le contrariait. Il avait envie d'en parler, lui, de confesser tout ce qui lui était passé par la tête au cours de la nuit, persuadé que cela lui ferait du bien, qu'ensuite il se sentirait soulagé.

Est-ce que son compagnon devinait son intention ? Est-ce que, pour une raison à lui, il voulait éviter cette confession ? En tout cas, pour le moment, il se levait pour donner congé.

— Vous faites mieux de partir si vous ne désirez pas coucher sur la plage. Téléphonez-moi quand vous aurez une adresse. Je vous dirai où nous en sommes.

Il le rappela au moment où il atteignait la porte.

— Votre seconde chemise !

Steve, qui avait oublié qu'il en avait acheté deux, prit le paquet.

— J'ai jeté la sale dans le panier, dit-il.

Dans le grand bureau, le sergent de tout à l'heure annonça à son chef, le casque d'écoute sur la tête :

— Les chiens sont arrivés et, après avoir reniflé le siège de l'auto abandonnée, se sont élancés sur une piste.

Steve n'eut pas envie d'attendre, n'osa pas tendre la main.

— Je vous remercie, lieutenant, de la façon dont vous m'avez traité. Et de tout.

On lui désigna une voiture au volant de laquelle se tenait un homme en uniforme. Il s'assit à côté de lui.

— Hayward. Conduis-le dans la cour de l'hôpital où il a laissé son auto.

Le mouvement du véhicule lui fit peu à peu fermer les yeux. Il lutta un certain temps, puis sa tête se pencha sur sa poitrine et il somnola, sans perdre entièrement conscience de l'endroit où il se trouvait. Seule la notion du temps s'effaçait, les événements lui revenaient à la mémoire en désordre, des images isolées se mêlaient, se liant et se déliant entre elles.

Par exemple, il lui arriva d'identifier Halligan, non avec l'homme au visage maigre et nerveux, mais le blond du premier bar, et il imagina Nancy avec lui, buvant au comptoir, un comptoir qui n'était pas celui du bord de la route mais le comptoir de Louis dans la 45ᵉ Rue.

Alors, il protestait en s'agitant :

— *Non ! Ce n'est pas lui. Celui-là, c'est le faux !*

Le vrai Halligan était brun, l'air maladif, et sa pâleur n'était pas surprenante puisqu'il venait de passer quatre ans en prison. Il conduisait l'auto un mystérieux sourire aux lèvres, quand Steve s'écriait soudain :

— *Mais c'est ma femme ! Vous ne m'aviez pas dit que c'était ma femme !*

Criant ces mots « *ma femme* » toujours plus fort, il serrait le cou de l'homme à deux mains tandis qu'un des pneus de la voiture éclatait et que celle-ci allait s'arrêter dans les pins.

— Hé ! Mister…

Le policier lui tapotait l'épaule en souriant.

— Vous êtes arrivé.

— Je vous demande pardon. Je crois que j'ai dormi. Merci.

La plupart des voitures avaient disparu de la cour de l'hôpital et la sienne se trouvait seule au milieu d'un grand vide. Il n'en avait pas besoin. Où serait-il allé en voiture ? Il leva les yeux vers les fenêtres, incapable de reconnaître celle de Nancy. Ce n'était pas la peine de rester là à regarder en l'air. Il fallait qu'il fasse ce qu'on lui avait dit de faire.

Le lieutenant lui avait recommandé de chercher une chambre avant tout. Il y avait des maisons tout près, la plupart en bois, peintes en blanc, avec une véranda tout autour et, sur ces vérandas, des gens, surtout des vieillards, qui prenaient le frais en se balançant dans un rocking-chair.

— Je m'excuse de vous déranger, madame. Vous ne savez pas où j'ai des chances de trouver une chambre ?

— Vous êtes le troisième à me poser la question depuis une demi-heure. Adressez-vous toujours à la maison du coin. Ils n'ont plus rien de libre, mais ils connaissent peut-être quelque chose.

Il vit la mer, pas loin, au bout d'une rue. Le soleil n'avait pas encore tout à fait disparu dans la direction opposée, derrière les maisons et les arbres, mais la surface de l'eau était déjà d'un vert glacé.

— Pardon, madame, est-ce que...

— C'est pour une chambre ?

— Ma femme est à l'hôpital et...

On l'envoyait ailleurs, puis ailleurs encore, dans des rues qui s'écartaient de plus en plus du centre de la ville et où les habitants étaient sur leur seuil.

— Pour une seule personne ?

— Oui, ma femme est à l'hôpital...

— Vous avez eu un accident ?

On trouvait étrange qu'il soit sans voiture.

— J'ai laissé mon auto là-bas. J'irai la chercher dès que j'aurai trouvé à me loger.

— Tout ce que nous pouvons vous offrir, c'est un lit de camp sur la véranda, derrière la maison. Il y a une moustiquaire, mais je vous préviens qu'il ne fera pas chaud. Je vous donnerai deux couvertures.

— Cela ira très bien.

— Je suis obligé de vous compter quatre dollars.

Il paya d'avance. Presque tout de suite après lui avoir remis cet argent-là, le garagiste au cigare avait cru devoir avertir la police. Steve ne s'était pas douté, alors qu'il roulait vers Hayward, que celle-ci savait exactement où il était.

Cette pensée-là, au lieu de le contrarier, le rassurait plutôt. C'était apaisant de constater que le monde était bien organisé, la société solide.

Elle ne pouvait pas tout empêcher. Nancy non plus n'était pas parvenue à l'empêcher de boire, la nuit dernière. Elle avait essayé de toutes ses forces et c'était elle, en fin de compte, qui avait payé.

— A quelle heure comptez-vous rentrer ?

— Je ne sais pas. Il faut que j'aille voir ma femme à l'hôpital. Je rentrerai tôt.

— A dix heures, je me couche et je n'ouvre plus la porte. Vous êtes prévenu. Remplissez votre fiche.

D'écrire son nom lui rappela l'entrefilet du journal. On parlerait encore de l'attentat dans le journal du soir, c'était inévitable. La radio avait déjà dû annoncer que la victime de l'agression était identifiée. Il avait souvent lu des informations de ce genre-là, sans attacher d'importance à la mention : « Il y a eu viol. »

Tout le monde allait savoir. Il pensa à Mr Schwartz, à la téléphoniste qui lui répondrait avec une secrète satisfaction que sa femme était en conférence, à Louis et à ses clients de cinq heures. Alors, à son découragement, tellement visible que sa logeuse le regardait avec une certaine méfiance, se mêla une pitié d'un genre spécial. Ce n'était plus en mari qu'il évoquait Nancy. Il y pensait comme à une femme dans la rue, dans la vie, une femme que les gens suivaient des yeux en murmurant, l'air désolé :

— C'est elle qui a été violée ?

Cela posait de nouveaux problèmes. Peut-être Nancy, elle, seule dans son lit, les avait-elle déjà envisagés ? Telle qu'il la connaissait, il lui semblait qu'elle n'accepterait jamais de revoir ceux qu'ils connaissaient et de reprendre son existence ordinaire.

— Si c'est à l'hôpital que vous allez et si vous voulez couper au court, tournez tout de suite à droite et marchez jusqu'à ce que vous trouviez un restaurant à la façade peinte en bleu. De là, vous apercevrez l'hôpital.

Ce qui aurait été merveilleux, ç'aurait été de vivre tous les quatre, avec les enfants, sans plus voir personne, pas même Dick et sa femme qui, d'ailleurs, avait toujours un sourire faux et était jalouse de Nancy. Celle-ci resterait à la maison. Il continuerait à se rendre à son travail, puisqu'il fallait qu'il gagne sa vie, mais il rentrerait tout de suite sans passer par chez Louis, sans avoir besoin d'un Martini. Personne ne leur poserait de questions, ne ferait de commentaires.

La rumeur et les musiques du centre de la ville lui parvenaient, assourdies, et la radio fonctionnait dans beaucoup de maisons, dans d'autres, on devinait des silhouettes immobiles dans la pénombre devant l'écran lunaire d'une télévision.

Feux rouges

Il atteignit le restaurant à la façade bleue et y entra, pas pour boire, mais pour manger, car il avait des crampes d'estomac. Il n'y avait d'ailleurs pas de bar. On ne servait pas de boissons alcooliques. Il n'aurait pas été tenté, de toute façon. Il avait l'intention, tout à l'heure, si on lui permettait de lui parler et si elle n'était pas trop épuisée, de jurer à Nancy qu'il ne toucherait plus un verre d'alcool de sa vie, bien décidé à tenir sa promesse, non seulement pour elle mais pour lui.

Une fille qui sentait la sueur essuyait la table d'un torchon sale devant lui et lui mettait un menu dans la main, attendait la commande, le crayon en suspens.

— Donnez-moi n'importe quoi. Un sandwich.

— Vous ne voulez pas une salade de homard ? C'est le plat du jour.

— Cela ira plus vite ?

— C'est prêt. Café ?

— S'il vous plaît.

Un journal de l'après-midi traînait sur une table mais il préféra ne pas l'ouvrir. L'horloge, au mur, marquait six heures dix. La veille, à cette heure-ci, ils étaient dans leur maison, sa femme et lui. Pour aller plus vite, ils ne s'étaient pas assis pour manger leurs sandwiches et il entendait encore le bruit du Frigidaire quand sa femme l'avait ouvert pour se servir un Coca-Cola.

— *Tu en veux ?*

Il ne pouvait pas lui avouer qu'il venait de boire un rye. Tout était parti de là. Elle portait son tailleur d'été vert qu'elle avait acheté dans Fifth Avenue sans se douter qu'on en parlerait dans les journaux de Boston le lendemain matin.

— *Du Catsup ?*

Il avait hâte de se retrouver à l'hôpital. Même si on ne lui permettait pas tout de suite de monter, il se sentirait plus près d'elle. En outre, à l'hôpital, il n'était pas tenté de penser. Il ne voulait plus penser aujourd'hui. Sa fatigue avait atteint le point où elle lui causait une douleur dans tout le corps, comme à l'intérieur des os. Cela lui était arrivé souvent de passer la nuit, même de la passer à boire, d'être malade le lendemain, mais il s'était presque toujours remonté à l'alcool. Cela réussirait probablement ce soir aussi. Le matin, le scotch lui avait permis de tenir le coup et de conduire sa voiture jusqu'ici, lui avait même donné assez de sang-froid pour téléphoner de tous les côtés et pour retrouver Nancy.

Il regrettait de n'avoir plus la serveuse de la cafétéria pour le soutenir. Ici, chacun était pressé, on entendait des fracas d'assiettes, les filles allaient et venaient sans arriver à contenter tout le monde et il se trouvait sans cesse quelqu'un qui aimait le bruit pour mettre cinq cents dans le juke-box.

— Dessert ? Nous avons de la tarte aux pommes et de la tarte au citron.

Il préféra payer et s'en aller. Toutes les fenêtres de l'hôpital étaient éclairées et, si Nancy n'avait pas été du côté de la porte, il aurait peut-être aperçu son lit.

Feux rouges

Les rideaux n'étaient pas tirés partout. On voyait ici et là le bonnet blanc d'une infirmière, la silhouette d'un malade penché sur un magazine.

En passant devant sa voiture, il détourna le regard, gêné de tout ce qu'elle lui rappelait, se promit de l'échanger contre une autre, même plus vieille, s'il en avait l'occasion.

Il avait oublié de téléphoner au lieutenant qui lui avait demandé de le faire. Il se souvint d'avoir aperçu une cabine dans le hall de l'hôpital. Dès qu'il aurait des nouvelles, il faudrait aussi qu'il téléphone aux Keane. Il ne fallait pas oublier les enfants. Il avait besoin d'avoir d'abord une idée plus précise de ce qu'ils feraient.

— Vous ne savez pas si je peux voir ma femme ?

La demoiselle le reconnaissait, plantait une fiche dans le standard.

— C'est le mari de la dame du 22. Vous savez de qui je veux parler ? Oui ? Comment ? Le docteur ne doit pas venir avant sept heures ? Je vais le lui dire.

Elle répéta :

— Pas avant sept heures.

— Je peux me servir du téléphone ?

— La cabine est publique.

Il appela le bureau de la police.

— Ici Steve Hogan. Je voudrais parler au lieutenant Murray.

— Je suis au courant, Mr Hogan. C'est moi qui étais à l'hôpital avec le lieutenant. Il est allé dîner.

187

— Il m'a prié de lui téléphoner pour lui donner mon adresse ici.

— Vous avez trouvé une chambre ?

Il lut l'adresse que sa logeuse avait écrite sur un bout de papier.

— Il n'y a pas de nouvelles ?

— Nous en avons depuis une demi-heure.

La voix était joyeuse.

— Tout est fini. Les chiens se sont d'abord lancés sur une fausse piste, ce qui a fait perdre une bonne heure. On les a ramenés à la voiture et, cette fois, ils ne se sont pas trompés.

— Il s'est défendu ?

— Quand il s'est vu cerné, il a jeté son revolver et a mis les bras en l'air. Il était vert de peur et suppliait qu'on ne lui fasse pas de mal. Le FBI l'a pris en charge. Ils passeront par ici demain matin en le ramenant à Sing.

— Je vous remercie.

— Bonne nuit. Vous pouvez annoncer la nouvelle à votre femme. Cela lui fera plaisir, à elle aussi.

Il sortit de la cabine et alla s'asseoir sur une chaise du hall où il se trouvait seul, il voyait, derrière la vitre du guichet, le haut du visage de la réceptionniste qui tapait à la machine et qui lui lançait parfois un coup d'œil curieux.

Il ne reconnut pas tout de suite le docteur qui venait du dehors et qu'il n'avait pas encore vu en costume de ville, mais le docteur le reconnut, faillit passer, revint sur ses pas, soucieux.

Steve se leva.

— Restez assis.

Lui-même s'assit à côté de lui, mit les coudes sur les genoux comme pour un paisible entretien d'homme à homme.

— Le lieutenant vous a dit ?

Il fit signe que oui.

— Je suppose que vous vous rendez compte que c'est pour elle que c'est le plus tragique. Je ne l'ai pas encore revue ce soir. La blessure à la tête n'est pas belle, mais cela se répare rapidement. Au fait, il vaut mieux que vous sachiez, afin de ne pas la peiner par un mouvement de surprise, que nous avons été obligés de lui couper les cheveux et de lui raser la tête.

— Je comprends, docteur.

— Nous ne pouvons pas la garder longtemps ici, où nous avons passé la journée à refuser des urgences. Vous avez un bon médecin ? Où habitez-vous ?

— Long Island.

— Il y a un hôpital près de chez vous ?

— A trois miles.

— Je vais voir où elle en est exactement et si elle peut bientôt faire le voyage sans danger. Ce qui est le plus important, dans son cas, et ce qui vous regarde, c'est son moral. Attendez ! Je ne doute pas que vous soyez prêt à l'entourer de tous les soins imaginables. Ce n'est malheureusement pas le premier cas de ce genre qui me passe par les mains. La réaction est toujours violente. Il faudra longtemps pour que votre femme se considère à nouveau comme une personne normale, réagisse comme une personne normale, surtout après la publicité qui sera faite autour d'elle et que nul ne peut empêcher. Si son assaillant est pris, il y aura procès.

— Il est arrêté.

— Vous aurez à vous montrer patient, ingénieux, et peut-être, si elle tarde à faire des progrès, à demander l'aide d'un spécialiste.

Il se leva.

— Vous pouvez monter avec moi et attendre dans le couloir. A moins d'imprévu, je n'en ai que pour quelques instants. Vous avez des enfants, m'a-t-elle dit ?

— Deux. Nous étions en route pour le Maine où ils attendent que nous les ramenions du camp.

— Je vous en parlerai tout à l'heure.

Ils montèrent. L'infirmière n'était plus celle qu'il connaissait et le médecin échangea quelques mots avec elle.

— Si vous voulez vous asseoir…

— Merci.

Il préférait rester debout. Les couloirs étaient vides, baignés d'une lumière jaune et douce. Le docteur était entré dans la chambre de Nancy.

— Elle a dormi ?

— Je ne sais pas. J'ai pris mon service à six heures.

Elle jeta un coup d'œil à une fiche.

— Je peux vous dire qu'elle a mangé du bouillon, de la viande et des légumes.

Ces mots-là avaient un son rassurant.

— Vous l'avez vue ?

— La nuit dernière, quand on l'a amenée.

Il n'insista pas, préférant ignorer les détails. De la première porte venait le murmure monotone d'une conversation entre deux femmes.

Le docteur parut, appela :

— Vous voulez venir un instant, mademoiselle ?

Il lui dit quelques mots et l'infirmière entra dans la chambre tandis que le médecin s'approchait de Steve.

— Vous allez la voir. L'infirmière vous préviendra quand elle sera prête. A moins de complications que je ne prévois pas, il n'y a pas de raison pour qu'elle ne parte pas mardi. Le week-end sera fini et les routes seront moins encombrées.

— Elle aura besoin d'une ambulance ?

— Si vous avez une bonne voiture et si vous conduisez sans trop de heurts ce ne sera pas nécessaire. Je la verrai avant. Je vous en parle dès à présent pour que vous puissiez prendre vos dispositions. Quant à la question des enfants, si vous avez quelqu'un pour s'occuper d'eux à la maison...

— Nous avons une baby-sitter une partie de la journée et je peux lui demander de rester davantage.

— Cela aidera au rétablissement de votre femme que la vie soit tout de suite aussi normale que possible

191

autour d'elle. Ne restez pas plus de vingt minutes, une demi-heure, et évitez qu'elle se fatigue à parler.

— Je vous promets, docteur.

L'infirmière parut, mais ce n'était pas encore pour lui. Elle venait chercher un objet qu'il ne distingua pas dans son sac à main qui se trouvait dans un placard, retournait dans la chambre.

Il s'écoula encore dix bonnes minutes et on lui fit enfin signe d'avancer.

— Elle vous attend, dit l'infirmière en lui livrant passage.

On avait dressé un paravent autour du lit pour l'isoler du reste de la salle, avec une chaise au chevet. Nancy tenait les yeux clos, mais ne dormait pas, et il voyait des frémissements passer sur son visage. Il remarqua que ses lèvres étaient plus rouges, décela des traces de poudre près du pansement qui entourait sa tête, à hauteur de l'oreille.

Sans un mot, il s'assit, tendit la main vers la main posée sur le drap.

8

Sans ouvrir les yeux, elle chuchota :

— Ne dis rien...

Et elle-même se tut, immobile, avec seulement sa main qui bougeait dans celle de Steve pour mieux s'y blottir. Ils étaient tous les deux dans une oasis de paix et de silence où ne leur parvenait que la respiration sifflante de la malade qui avait la fièvre.

Steve se gardait du moindre mouvement, et c'était Nancy qui disait après un temps, d'une voix toujours assourdie :

— Je veux d'abord que tu saches que ce n'est pas moi qui ai demandé de la poudre et du rouge. C'est l'infirmière. Elle a insisté, par crainte que je te fasse peur.

Il ouvrit la bouche, ne parla pas et finit par clore les paupières à son tour, car ils étaient encore plus proches l'un de l'autre ainsi, sans se voir, avec seulement le contact de leurs doigts emmêlés.

— Tu n'es pas trop fatigué ?

— Non… Vois-tu, Nancy…

— Chut ! Ne bouge pas. Je sens le sang battre dans tes veines.

Cette fois, elle garda si longtemps le silence qu'il crut qu'elle s'était assoupie. Elle finit cependant par reprendre :

— Je suis très vieille à présent. J'étais déjà ton aînée de deux ans. Depuis cette nuit, je suis une vieille femme. Ne proteste pas. Laisse-moi parler. J'ai beaucoup réfléchi cet après-midi. Ils m'ont encore fait une piqûre mais je suis parvenue à ne pas dormir et j'ai pu penser.

Il ne s'était jamais senti si près d'elle. C'était comme si un cercle de lumière et de chaleur les entourait, les mettant à l'abri du reste du monde, et, dans leurs mains jointes, leur pouls avait la même cadence.

— En quelques heures, j'ai vieilli d'au moins dix ans. Ne t'impatiente pas. Tu dois me laisser aller jusqu'au bout.

C'était à la fois bon et déchirant de l'entendre, qui parlait toujours dans un souffle, pour que ce soit plus secret, plus à eux deux, et sa voix n'avait pas d'intonation, elle laissait de longues pauses entre les phrases.

— Il faut que tu saches, Steve, si tu n'y as pas encore pensé toi-même, que c'est toute notre vie qui va changer et que désormais rien ne sera plus comme avant. Jamais je ne serai une femme comme une autre, jamais je ne serai ta femme.

Et comme elle sentait qu'il allait protester, elle se hâtait de l'en empêcher :

— Chut !... Je veux que tu écoutes et que tu comprennes. Il y a des choses qui ne pourront plus exister, parce que, chaque fois, le souvenir de ce qui s'est passé...

— Tais-toi.

Il avait ouvert les yeux et la voyait les paupières toujours closes, avec sa lèvre inférieure qui tremblait en s'avançant un peu comme quand elle allait pleurer.

— Non, Steve ! Toi non plus, tu ne pourrais pas. Je sais ce que je dis. Tu le sais bien, toi aussi, mais tu essaies de t'illusionner. Pour moi, c'est fini. Il y a une sorte de vie que je ne connaîtrai plus.

La gorge gonflée, elle avalait sa salive et il croyait apercevoir, la durée d'une seconde, l'éclat des prunelles entre les cils qui battaient.

— Je ne te demanderai pas de rester avec moi. Tu continueras à avoir une existence normale. Nous nous arrangerons de notre mieux pour que cela soit facile.

— Nancy !

— Chut !... Laisse-moi finir, Steve. Un jour ou l'autre, tu te rendrais compte par toi-même des choses que je te dis ce soir et alors ce serait beaucoup plus pénible pour tous les deux. C'est pourquoi j'ai tenu à ce que tu saches tout de suite. Je t'attendais.

Il ignorait qu'il était en train de lui broyer la main et elle gémit :

— Tu me fais mal.

— Pardon.

— C'est bête, hein ! On ne comprend que quand il
est trop tard. Quand on est heureux, on n'y attache
pas d'importance, on commet des imprudences, il
arrive même qu'on se révolte. Nous avons été heureux tous les quatre.

Alors, tout à coup, il oublia les conseils du médecin,
il ne réfléchit pas, ne pensa plus à la blessure que
Nancy avait à la tête, ni à la salle d'hôpital où ils se
trouvaient. Un flot de chaleur avait envahi sa poitrine
et des mots se pressaient dans son esprit, qu'il avait
besoin de lui dire, des mots qu'il ne lui avait jamais dits,
qu'il n'avait peut-être jamais pensés.

— Ce n'est pas vrai ! protesta-t-il d'abord, comme
elle venait de parler de leur bonheur passé.

— Steve !

— Je crois que j'ai réfléchi, moi aussi, sans m'en
rendre compte. Et ce que tu viens de dire est faux. Ce
n'est pas hier que nous étions heureux.

— Tais-toi !

Sa voix était aussi sourde que celle de sa femme et il
parvenait pourtant à y mettre une véhémence conte-
nue qui n'en était que plus éloquente.

Ce n'était pas ainsi qu'il avait envisagé leur entrevue
et il ne s'était pas figuré qu'il lui dirait un jour ce qu'il
allait lui dire. Il se sentait dans un état de sincérité
totale et c'était comme s'il avait été nu, aussi sensible
que si la peau lui avait été enlevée.

— Ne me regarde pas. Garde les yeux fermés. Ecoute-moi seulement. La preuve que nous n'étions pas heureux, c'est que, dès que nous sortions de notre routine quotidienne, du cercle de nos petites habitudes, j'étais si désemparé que j'avais un urgent besoin de boire. Et toi, tu avais besoin, chaque jour, d'aller dans un bureau de Madison Avenue pour te persuader que tu avais une vie intéressante. Combien de fois sommes-nous restés face à face, chez nous, sans être obligés, après quelques minutes, de prendre un magazine ou d'écouter la radio ?

Les paupières de Nancy étaient humides à leur bord, ses lèvres s'avançaient de plus en plus, il avait failli lui lâcher la main et elle s'y cramponnait nerveusement.

— Sais-tu à quel moment, hier, j'ai commencé à te trahir ? Tu étais encore à la maison. Nous n'étions pas encore en route. Je t'ai annoncé que j'allais faire le plein d'essence.

Elle murmura :

— Tu avais d'abord parlé de cigarettes.

Son visage était déjà plus clair.

— C'était pour boire un rye. Je suis resté au rye toute la nuit. J'avais envie de me sentir fort et sans entraves.

— Tu me détestais.

— Toi aussi.

Un sourire ne glissa-t-il pas furtivement sur son visage quand elle souffla :

— Oui.

— J'ai continué, tout seul, à me révolter, jusqu'à ce que je m'éveille ce matin au bord d'une route où je ne me souvenais pas m'être arrêté.

— Tu as eu un accident ?

Il avait l'impression que, pour la première fois depuis qu'ils se connaissaient, il n'existait plus aucune tricherie entre eux, plus rien, même de l'épaisseur d'un voile, pour les empêcher d'être eux-mêmes en face l'un de l'autre.

— Pas un accident. C'est mon tour de te dire qu'il faut que tu saches et qu'il vaut mieux que ce soit maintenant. J'ai rencontré un homme en qui, pendant des heures, j'ai voulu voir un autre moi-même qui n'aurait pas été lâche, un homme à qui je regrettais de ne pas ressembler, et je lui ai dit tout ce que j'avais sur le cœur, tout le mauvais qui fermentait en moi. Je lui ai parlé de toi, peut-être des enfants, et je ne suis pas sûr de ne pas avoir prétendu que je ne les aimais pas. Je savais pourtant qui était cet homme-là, et d'où il venait.

Il avait fermé les yeux à nouveau.

— J'ai mis un acharnement d'ivrogne à tout salir et l'individu à qui je me suis confié de la sorte, c'est...

Il entendit à peine qu'elle répétait :

— Tais-toi.

Il avait fini. Il pleurait en silence et ce n'étaient pas des larmes amères qui coulaient de ses yeux clos. La main de Nancy dans la sienne restait inerte.

— Tu comprends, à présent...

Il dut laisser à sa gorge le temps de se desserrer.

— Tu comprends que c'est seulement aujourd'hui que nous allons commencer à vivre ?

Il fut surpris, en ouvrant les paupières, de voir qu'elle le regardait.

Elle l'avait peut-être regardé tout le temps qu'il parlait ?

— C'est tout ! Tu vois, tu avais raison de prétendre que, depuis hier, nous avons parcouru une longue route.

Il croyait lire un reste d'incrédulité dans ses yeux.

— Ce sera une autre vie. J'ignore comment elle sera, mais je suis sûr que nous la vivrons tous les deux.

Elle essayait encore de se débattre.

— C'est vrai ? questionna-t-elle avec une candeur qu'il ne lui connaissait pas.

L'infirmière passait derrière lui pour donner des soins à la malade qui faisait de la température et qui avait dû la sonner. Tout le temps qu'elle resta dans la salle, ils évitèrent de parler.

Cela n'avait plus d'importance, à présent. Peut-être, quand il aurait repris l'existence de tous les jours, Steve aurait-il une certaine gêne au souvenir de cette effusion. Mais n'avait-il pas encore plus honte, les matins qu'il se réveillait après ses discours d'homme qui a bu ?

Ils se regardaient sans respect humain, sentant l'un et l'autre que cette minute ne reviendrait probablement

jamais. Chez chacun, il y avait une sorte de bondisse-
ment vers l'autre, mais cela ne paraissait que dans leurs
yeux qui ne se quittaient plus et qui, peu à peu, expri-
maient un grave ravissement.

— Ça va, vous deux ? lança l'infirmière au moment
de sortir.

La vulgarité des mots ne les choqua pas.

— Encore cinq minutes, pas plus, annonça-t-elle en
franchissant le seuil, une bassine couverte d'une ser-
viette à la main.

Trois de ces cinq minutes s'étaient écoulées quand
Nancy prononça d'une voix plus ferme que précédem-
ment :

— Tu es sûr, Steve ?

— Et toi ? répliqua-t-il en souriant.

— Peut-être que nous pouvons essayer.

Ce qui était important, ce n'était pas ce qui arriverait, c'était que cette minute-là ait existé et déjà il
s'efforçait de ne pas en perdre la chaleur, il avait hâte
de partir, parce que tout ce qu'ils pourraient dire ne
ferait qu'affaiblir leur émotion.

— Je peux t'embrasser ?

Elle fit signe que oui et il se leva, se pencha sur elle,
posa ses lèvres sur les siennes avec précaution et les
pressa doucement. Ils restèrent ainsi plusieurs secondes et, quand il se redressa, la main de Nancy était
encore accrochée à la sienne, il dut détacher ses doigts
un à un avant de se précipiter vers la porte sans se
retourner.

Il faillit ne pas entendre que l'infirmière l'appelait. Il ne l'avait pas vue en passant près d'elle.

— Mr Hogan !

Il s'arrêta, la vit sourire.

— Je vous demande pardon de vous interpeller comme ça. C'est pour vous dire que, désormais, vous ne devez venir qu'aux heures de visite, qui sont affichées en bas. Aujourd'hui, on vous a laissé, parce que c'était le premier jour.

Comme il jetait un coup d'œil vers la chambre de Nancy, elle ajouta :

— Ne craignez rien. Je veillerai à ce qu'elle dorme. Au fait, le docteur m'a remis ceci pour vous. Vous les prendrez tous les deux avant de vous coucher et vous aurez une bonne nuit.

C'étaient deux comprimés dans une petite enveloppe blanche qu'il glissa dans sa poche.

— Je vous remercie.

La nuit était claire, les cailloux des allées brillaient sous la lune, il monta dans sa voiture sans y penser, se dirigea, non vers la maison de sa logeuse, mais vers la mer. Il avait encore besoin de vivre un moment avec ce qu'il sentait en lui et sur quoi les lumières de la ville, les musiques, les tirs, les balançoires n'avaient aucune prise. Tout cela qui l'entourait n'avait pas d'épaisseur, pas de réalité. Il longea une rue qui devenait de moins en moins brillante et au bout de laquelle il trouva un rocher que la mer léchait avec un bruissement à peine perceptible.

Un air plus froid venait du large, une odeur forte dont il s'emplissait les poumons. Sans fermer la portière derrière lui, il marcha jusqu'à l'extrême bord de la pierre, ne s'arrêta que quand la vague toucha le bout de ses souliers, et, furtivement, comme s'il avait honte, il refit le geste qu'il avait eu quand, enfant, on l'avait conduit pour la première fois voir l'océan, se penchant, trempant sa main dans l'eau, l'y laissant longtemps pour en savourer la fraîcheur vivante.

Après, il ne s'attarda plus, chercha la façade bleue du restaurant qui lui servait de point de repère et retrouva le chemin qu'il avait parcouru à pied, la maison où il devait dormir.

La logeuse et son mari étaient assis tous les deux dans l'obscurité de la véranda où il ne les découvrit qu'en gravissant les marches.

— Vous êtes de bonne heure, Mr Hogan. Il est vrai que vous ne devez pas avoir le cœur à vous amuser. Vous n'avez pas de valise ? Attendez que je fasse de la lumière à l'intérieur.

Une lampe très blanche éclaira soudain le papier à fleurs du vestibule.

— Je ne vais pas vous laisser dormir tout habillé après ce que vous avez passé.

Elle savait, à présent, lui parlait comme à quelqu'un qui a eu des malheurs.

— Comment va votre pauvre femme ?

— Mieux.

— Quel choc cela a dû être pour elle ! Des hommes comme celui-là, on devrait les abattre sans prendre la peine de les juger. Si quelqu'un en faisait autant à ma fille, je crois que je serais capable...

Il faudrait qu'il s'habitue. Nancy aussi. Cela faisait partie de leur nouvelle vie, tout au moins pour un temps. Il attendait sans impatience que la femme ait fini et elle alla lui chercher dans une chambre un pyjama de son mari.

— Il sera peut-être un peu court, mais cela vaut mieux que rien. Si vous voulez venir avec moi, je vais vous montrer la salle de bains.

Elle tournait des commutateurs électriques, tirant une à une les pièces de l'obscurité.

— Je vous ai déniché une troisième couverture. Elle est en coton, mais elle aidera quand même. Vous l'apprécierez vers le matin, quand l'humidité arrive de la mer avec la brise.

Il avait hâte d'être couché, de se replier sur lui-même. Il se releva pourtant en se souvenant des comprimés du docteur et il alla les avaler avec un verre d'eau. Les voix feutrées du couple lui parvenaient du devant de la maison, amorties, et il n'y prenait pas garde.

— Bonsoir, Nancy, dit-il dans un chuchotement qui lui rappela celui de la chambre d'hôpital.

Il y avait des grillons dans le jardin. Plus tard, on ouvrit et on referma des portes, des pas lourds montè-rent l'escalier du premier étage, quelqu'un s'acharna à ouvrir ou à refermer une fenêtre qui paraissait coincée et le seul souvenir qu'il garda de la nuit fut une sensation de froid qui le pénétrait et contre lequel les couvertures étaient impuissantes.

Il ne rêva pas, ne s'éveilla que quand le soleil l'enveloppa tout entier et qu'il se sentit le visage presque brûlant. La ville était déjà pleine de rumeurs et de voix, des autos passaient dans la rue, des coqs chantaient quelque part et on remuait de la vaisselle dans la maison.

Il avait laissé ses vêtements accrochés derrière la porte de la salle de bains, avec sa montre dedans.

Quand il pénétra dans le vestibule, la logeuse lui lança, de la cuisine :

— Au moins, vous avez dormi, vous ! On peut dire que le grand air vous réussit !

— Quelle heure est-il ?

— Neuf heures et demie. Je suppose que vous avez envie d'une tasse de café ? J'en ai justement de fait. A propos, le lieutenant de la police est passé pour vous voir.

— Quelle heure était-il ?

— Environ huit heures. Il était pressé car il se rendait à l'hôpital avec quelqu'un. Je lui ai dit que vous dormiez et il m'a défendu de vous éveiller. Il a ajouté qu'il serait à son bureau toute la matinée et que vous pouviez y aller à n'importe quel moment.

— Vous avez vu la personne qui était avec lui ?

— Je n'ai pas osé trop regarder. Trois hommes se tenaient dans le fond de l'auto, tous les trois en civil, et je jurerais que celui du milieu avait des menottes aux poignets. Je ne serais pas surprise que ce soit l'individu qu'ils ont arrêté dans le New Hampshire et dont le journal parle ce matin, celui qui s'est échappé de prison voilà deux jours et qui, en si peu de temps, a trouvé le moyen de faire tant de mal. Vous en savez quelque chose. Vous voulez le journal ?

Elle dut être surprise qu'il dise non. Elle devait le trouver froid, mais son calme n'était pas de la froideur. Il entra dans la cuisine pour boire la tasse de café qu'elle lui versait, alla prendre une douche, se rasa et, quand il parut sur la véranda, des voisines étaient à leur fenêtre ou sur le seuil pour le regarder.

— Je peux encore passer chez vous la nuit prochaine ?

— Autant de nuits que vous voudrez. Je regrette seulement que ce soit si peu confortable.

Il conduisit sa voiture vers la ville, s'arrêta, pour son petit déjeuner, dans le restaurant où il avait dîné la veille au soir. Quand il eut mangé, et bu deux nouvelles tasses de café, il s'enferma dans la cabine téléphonique, demanda le camp Walla Walla, attendit près de cinq minutes à regarder à travers la vitre le comptoir derrière lequel on faisait frire des œufs par douzaines.

— Mrs Keane ? Ici Steve Hogan.

— C'est vous, mon pauvre monsieur ? Nous avons été bien tracassés, hier, toute la journée, malgré votre coup de téléphone. Nous nous demandions ce qui vous était arrivé. Ce n'est que dans la soirée que nous avons appris les malheurs de votre femme. Comment va-t-elle, la pauvre ? Vous êtes près d'elle ? Vous l'avez vue ?

— Elle va mieux, Mrs Keane, je vous remercie. Je suis à Hayward. Je compte, demain, me rendre chez vous pour prendre les enfants. Vous ne leur avez rien dit ?

— Seulement que leur maman et leur papa étaient retardés. Figurez-vous que Bonnie a dit hier soir que vous deviez bien vous amuser en route. Vous voulez leur parler ?

— Non. Je préfère ne rien leur dire par téléphone. Annoncez-leur seulement que je serai là demain.

— Qu'est-ce que vous allez faire ?

Il ne s'impatienta toujours pas.

— Nous rentrerons chez nous mardi, quand les routes seront dégagées.

— Votre femme sera en état de supporter le voyage ?

— Le docteur en est persuadé.

— Qui aurait pensé qu'une chose pareille lui arriverait, à elle ! Tous les parents qui viennent nous en parlent et si vous saviez comme ils vous plaignent tous les deux ! Enfin ! Cela aurait pu finir plus mal...

Il se surprit à répondre, indifférent :

— Oui.

Il ne pouvait pas aller dans le Maine, en revenir, et prendre Nancy en passant et rentrer à Long Island en une seule journée, à moins de rouler comme un fou.

Il faudrait donc que les enfants passent la nuit à Hayward. Heureusement que le lundi soir, tout le monde serait parti et qu'il trouverait sans peine des chambres d'hôtel.

Il pensait à tout, par exemple qu'il n'aurait pas besoin d'avertir Mr Schwartz que sa femme ne serait pas au bureau le mardi matin car, à l'heure qu'il était, il était déjà au courant par les journaux. Il en était de même pour son patron à lui. Il se contenterait, le lendemain soir, d'envoyer un télégramme, qui serait délivré le mardi matin à Madison Avenue, disant : « *Serai bureau jeudi.* »

Il se donnait le mercredi pour organiser leur maison. Il ne pouvait pas encore faire d'arrangement avec Ida, leur négresse, car elle les avait prévenus qu'elle allait passer le week-end chez des parents à Baltimore.

Il déblayait le terrain, petit à petit, s'efforçant de tout prévoir, y compris l'histoire qu'il raconterait aux deux enfants en ne s'écartant de la vérité que dans la mesure indispensable, car ils entendraient parler leurs petits camarades de l'école.

Il se réjouissait de les revoir. Pas de la même façon que les autres fois. Il y avait maintenant quelque chose de plus intime entre eux et lui. Bonnie et Dan, eux aussi, allaient entrer dans leur nouvelle vie.

Après la visite de deux heures à l'hôpital, il s'occuperait d'échanger sa voiture. Il y avait sûrement quelque part un parc d'autos d'occasion et ces maisons-là travaillent encore plus pendant le week-end que les autres jours. Il ne devait pas oublier non plus de demander au lieutenant de lui faire un papier provisoire, un certificat quelconque pour remplacer son permis de conduire, à moins que, peut-être, on ait retrouvé son portefeuille.

Il lui restait encore autre chose à faire, de beaucoup plus important, qu'il ne pouvait pas remettre à plus tard. Il était calme. C'était indispensable qu'il jouisse de tout son sang-froid. Il conduisit jusqu'au highway sans avoir la curiosité de tourner le bouton de la radio et il était dix heures et demie quand il s'arrêta en face du poste de police. Une des voitures, devant la porte, qui avait une plaque du New Hampshire, sans autre signe distinctif, devait être celle des inspecteurs du FBI qui avaient amené Sid Halligan.

C'était nécessaire aussi qu'il s'habitue à entendre ce nom-là, à le prononcer en esprit. Le temps était aussi beau que la veille, un peu plus lourd, avec une légère buée dans l'air qui pourrait amener un orage vers la fin de la journée.

Il écrasa sa cigarette sous sa semelle avant de monter les marches de pierre du perron, entra dans la grande pièce où un des policiers était occupé à questionner un couple. La femme, le maquillage délavé, avait les allures et la voix d'une chanteuse de cabaret.

— Le lieutenant est chez lui ?

— Vous pouvez aller, Mr Hogan, je vous annonce.

Le temps qu'il se dirige vers la porte qu'il connaissait déjà et on l'avait annoncé par le téléphone intérieur, de sorte qu'une main tira le battant en même temps qu'il le poussait. Le lieutenant Murray l'accueillit, parut surpris par son attitude.

— Entrez, Hogan. Je pensais bien que vous viendriez. Je ne vous demande pas si vous avez passé une bonne nuit. Asseyez-vous.

Steve secouait la tête en regardant autour de lui, disait d'une voix plus mate que sa voix habituelle :

— Il est ici ?

Le policier fit oui de la tête, toujours étonné, sans doute de le voir si maître de lui.

— Je peux le voir ?

Le lieutenant devint plus grave, lui aussi.

— Vous le verrez tout à l'heure, Hogan. Auparavant, j'insiste pour que vous vous asseyiez un moment.

Il le fit docilement, écouta comme il avait écouté sa logeuse et les doléances de Mrs Keane. Son interlocuteur le sentait si bien qu'il parlait sans conviction, tout en bourrant sa pipe à petits coups d'index.

— Il est arrivé cette nuit, et dès ce matin nous l'avons conduit à Hayward. Je n'ai pas voulu vous en parler hier et j'espère que vous ne m'en voulez pas. Il valait mieux obtenir dès maintenant une reconnaissance formelle. Dans une heure, les inspecteurs reprennent la route avec lui pour Sing-Sing. Si cela ne s'était pas passé ce matin, votre femme aurait dû, plus tard, se déranger, et...

— Comment était-elle ?

— Nous l'avons trouvée d'un calme surprenant.

Steve fut incapable de réprimer tout à fait un sourire qui montait à ses lèvres malgré lui et qui parut dérouter le policier.

— Dès six heures, ce matin, une chambre s'est trouvée libre à l'hôpital et j'ai donné des instructions pour qu'on l'y transporte.

— Quelqu'un est mort pendant la nuit ?

Il fallait que la transformation qui s'était opérée en lui fût importante pour que, alors qu'il ouvrait à peine la bouche, le lieutenant perde presque contenance.

Sans répondre à la question, il interrogeait à son tour :

— Vous avez eu une conversation avec votre femme, hier au soir ?

— Nous nous sommes expliqués, dit-il simplement.

— Je m'en suis douté ce matin. Elle paraissait apaisée. Je suis d'abord entré seul dans sa chambre pour lui demander si elle se sentait assez forte pour supporter la confrontation. Par précaution, le médecin s'est tenu tout le temps dans le couloir, prêt à intervenir. Contrairement à mon attente, elle n'a montré aucune nervosité, aucune frayeur. Elle a dit aussi naturellement que vous me parlez ce matin :

» — Je suppose que c'est indispensable, lieutenant ?

» Je lui ai répondu que oui. Alors elle m'a demandé où vous étiez et je lui ai répondu que vous dormiez, ce qui a paru lui faire plaisir. Elle a dit :

» — Dépêchez-vous.

» Et j'ai fait signe aux deux inspecteurs d'amener le prisonnier.

» Depuis son arrestation, il nie l'agression, prétend qu'il y a erreur sur la personne. Il admet le reste, qui n'est pas aussi grave. Je m'y attendais.

» Au moment de pénétrer dans la chambre, il a redressé la tête et s'est mis à sourire d'un air insolent. Debout au milieu de la pièce, il regardait votre femme en la narguant.

» Celle-ci n'a pas bougé. Ses traits sont restés immobiles. Après un temps, elle a froncé les sourcils, comme pour mieux voir.

» — Vous le reconnaissez ? a demandé un des inspecteurs du FBI, tandis que son camarade prenait des notes en sténo.

» Elle s'est contentée de répondre :

» — C'est lui.

» Il la fixait avec la même expression de défi et l'inspecteur poursuivait la série des questions auxquelles, d'une voix distincte, votre femme continuait à répondre :

» — Oui.

» C'est tout, Hogan. Cela a duré en tout moins de dix minutes. Les journalistes et les photographes attendaient dans le couloir. Quand Halligan a quitté la chambre seulement, j'ai demandé à votre femme si je pouvais les laisser entrer, en lui faisant remarquer qu'il n'est jamais bon de se mettre la presse à dos. Elle m'a répondu :

» — Si le docteur n'y voit pas d'inconvénient, qu'ils viennent.

» Le médecin n'a laissé pénétrer que les photographes, pour quelques instants seulement, interdisant aux reporters d'aller lui poser des questions.

» Elle a été brave, vous voyez. Je vous avoue qu'avant de sortir à mon tour je n'ai pu m'empêcher de lui serrer la main.

Steve regardait devant lui sans rien dire.

— Je ne sais pas si elle sera obligée de comparaître en personne quand l'affaire passera devant le jury. De toute façon, les charges sont assez nombreuses et assez compliquées pour que ce ne soit pas avant plusieurs semaines et, d'ici là, votre femme sera rétablie. Peut-être le tribunal se contentera-t-il d'un affidavit ?

Le lieutenant paraissait de plus en plus gêné. Il avait beau observer Steve, il ne comprenait pas. On aurait dit que cela le dépassait.

— Vous voulez toujours le voir ?

— Oui.

— Maintenant ?

— Aussitôt que possible.

Murray le laissa seul et Steve se leva, se tint debout, tourné vers la fenêtre, avec l'air de se recueillir.

Il entendit des allées et venues dans les couloirs, des bruits de portes, des pas de plusieurs personnes. Après un temps assez long, le lieutenant entra le premier, laissant la porte ouverte derrière lui, et alla s'asseoir à son bureau.

Le premier qui entra ensuite fut Sid Halligan, les poignets joints par les menottes, et derrière lui venaient les inspecteurs du FBI.

Tout le monde, sauf le lieutenant, resta debout. Quelqu'un avait refermé la porte.

Steve était toujours tourné vers la fenêtre, tête basse, les poings serrés au bout de ses bras qui pendaient. Le sang s'était retiré de son visage. Une buée perlait à son front et au-dessus de sa lèvre.

On le vit fermer les yeux, se tendre comme s'il avait besoin de toute son énergie et alors, lentement, il fit un quart de tour sur lui-même et se trouva face à face avec Halligan.

Le lieutenant, qui les observait tous les deux, suivit l'effacement progressif du sourire sur le visage du prisonnier.

Un moment, il eut peur de devoir intervenir, se souleva même un tant soit peu de sa chaise car Steve, dont les yeux ne semblaient pas pouvoir se détacher de ceux de l'agresseur de sa femme, avait commencé à se raidir, son corps s'était durci, ses mâchoires avaient commencé à saillir.

Le poing droit bougea de quelques centimètres et Halligan, qui en avait conscience, leva vivement ses deux bras entravés par les menottes, jeta un regard apeuré à ses gardiens comme pour les appeler à son aide.

Ils ne s'étaient pas dit un seul mot. On n'avait entendu aucun bruit. A nouveau, Steve se détendait, ses lignes devenaient plus rondes, ses épaules s'affaissaient lentement, son visage se brouillait.

— Pardon... balbutia-t-il.

Et les autres ne savaient pas si c'était à cause du geste qu'il venait d'éviter de justesse.

Il pouvait regarder Halligan en face, maintenant, avec l'expression qu'il avait tout à l'heure pendant que le lieutenant lui parlait, l'expression qui était la sienne depuis la veille au soir.

Il le regardait longuement, comme il s'était imposé de le faire parce que cela lui avait paru indispensable avant d'essayer leur nouvelle vie.

Personne ne soupçonna que c'était une partie de lui-même qu'il avait failli frapper quand il avait levé le poing, ni que c'était quelque chose de son passé qu'il affrontait dans les yeux du prisonnier.

A présent, il avait vu le bout de la route. Il pouvait regarder ailleurs, rentrer dans la vie de tous les jours, il regardait autour de lui, surpris de les voir si tendus, prononçait de sa voix naturelle :

— C'est tout.

Il ajouta :

— Je vous remercie, lieutenant.

S'ils avaient des questions à lui poser, il était prêt. Cela n'avait plus d'importance.

Nancy aussi avait été brave.

Shadow Rock Farm, Lakeville (Connecticut), 14 juillet 1953.